ALIAS

DU MÊME AUTEUR

La Presse féminine, Armand Colin, 1963.
Histoire de la presse féminine, Armand Colin, 1964.
La Vie des femmes, Gonthier-Denoël, 1965.
Demain les femmes, Laffont, 1965.
Histoire et Sociologie du travail féminin, Gonthier-Denoël, 1968.
La Femme dans le monde moderne, Hachette, 1970.
Les Françaises au travail, Hachette, 1973.
Histoire et Mythologie de l'amour, huit siècles d'écrits féminins, Hachette, 1974, couronné par l'Académie française.
Le Fait féminin, ouvrage collectif dirigé par E. Sullerot, préface de André Lwoff, prix Nobel, Fayard, 1978, ouvrage couronné par l'Académie des Sciences morales et politiques.
L'Aman, roman, Fayard, 1981.
Pour le meilleur et sans le pire, Fayard, 1984, couronné par l'Académie française.
L'Age de travailler, Fayard, 1986.
L'Enveloppe, roman, Fayard, 1987.
Quels pères? Quels fils?, Fayard, 1992.

Evelyne Sullerot

alias

roman

Fayard

I

Moi qui ai tant aimé conduire, même pour le trajet quotidien maison-hôpital-maison dans les embouteillages, mais seule avec la musique, frappant le volant en mesure ; moi qui m'étais promis de faire de ma retraite une fuite toujours recommencée sur toutes les routes « en vert » de toutes les cartes de France, je conduis de moins en moins. A la seule idée d'aller jusqu'au garage, d'extraire la carte magnétisée du fatras de mon sac au risque de faire tomber mon trousseau de clés ; à la seule idée d'un caprice électronique venant à bloquer la porte, ou du rituel de la manœuvre de sortie, même si tout fonctionne, je m'abstiens. Du reste, je n'éprouve plus que rarement l'excitation de la liberté en roulant. Même, je me surprends, raidie, tendue, à prêter attention à mes gestes ridicules : pédales enfoncées, levier tiré, boutons tournés. Moi qui ai tant aimé les pans de rêve découpés la nuit par les phares, je suis désormais éblouie comme une chouette par ce qu'on appelle, bien à tort, « feux de croisement ». Sans compter qu'arrivée à destination, j'ai de plus en plus de mal à m'extraire sans aide de mon petit habitacle.

Ce ne sont pourtant là que prétextes à renoncements. La vérité est que l'âge freine l'élan de la découverte et affadit sa volupté. L'avenir, l'ailleurs, l'au-delà n'attirent plus quand on approche de l'inéluctable. On marche à contrecœur, de biais, la tête tournée vers l'arrière – vers le passé.

Vers un passé que, de toute son âme, on voudrait repêcher, arracher, fût-ce par lambeaux, à la mémoire refroidie. Sans chercher à comprendre, on l'a laissé s'engloutir, s'envaser année après année. Un jour, plus proche que jamais il ne le fut, on va perdre la vie. Mais sa vie, sa vie à soi, à nulle autre pareille, n'est-il pas encore temps de la reconquérir souvenir après souvenir, tournant après tournant, plage après plage, pour en chercher la couleur et le sens ?

Des années durant, j'ai vécu penchée en avant dans l'attente et la préparation des lendemains : demain il y aura une lettre, demain je serai guérie, demain je serai reçue, demain il reviendra, demain je change de vie, demain je prends l'avion, demain... Aujourd'hui, mon passé se venge de ce présent vécu par mégarde. Il s'est refermé. Je ne connais que des éclaircies soudaines dans l'opacité de l'oubli. Aujourd'hui, si ma quête était moins anarchique, si je me rappelais mieux les êtres, nul doute que je pourrais comprendre tous ces *autres* dans ma vie. Ils apparaissent parfois, clairs à toucher, tels les instantanés passant du négatif au positif dans le bain révélateur. A peine puis-je mettre un nom sur un visage que le voilà rongé par les bords, comme les daguerréotypes de jadis. Même ceux de quelques hommes qu'un temps j'ai cru aimer. Que dire alors des milliers de ceux, levés vers moi, qui défilent en fondu enchaîné : des malades, encore des malades – un magma de malades !

8

Seuls les lambeaux d'enfance, aux allures d'éternité, illuminent ma mémoire, et les figures de mes parents dont il me semble enfin saisir la personnalité : il était temps ! Mais, justement, le temps a desséché la signification de mes propres engagements, ou plutôt les a banalisés, comme si, étroitement mêlés aux guerres, aux révoltes, aux campagnes politiques, aux expéditions humanitaires, ils avaient tournoyé dans l'essoreuse impitoyable qui s'empare de l'actualité jusqu'à épuisement de sa substance, et la relègue, pressurée, exsangue, aux oubliettes. Est-il possible que tout ce que j'ai entrepris et risqué dans l'indignation ou l'enthousiasme puisse m'apparaître aussi démodé, aussi naïf, aussi vain que les trop gros titres de vieilles coupures de presse jaunies relatant des événements que les années écoulées semblent avoir rapetissés ? Mais peut-être est-ce l'actualité qui ment quand elle écrase le passé à coups de reportages-chocs et de prises de position fracassantes ?

Je me demande comment les vieux journalistes, arrivés à deux pas de leur mort, pèsent leur vie. Encore n'ont-ils souvent qu'observé, alors que moi, j'ai participé. J'ai « donné de ma personne », comme on dit. Peut-être est-ce pour cela qu'il ne m'est rien resté, ou si peu. Plus je prends du poids, avec l'âge, plus ma vie s'allège, s'évapore. Les engagements sociaux et professionnels de mes parents comptent à mes yeux, donnent corps et force à l'image d'eux qui se dresse dans ma mémoire. Pourquoi ceux que j'ai pris moi-même semblent-ils me quitter comme des vêtements étrangers qui ne me définiraient pas ? Toutes mes bagarres, mes veilles, mes peurs, mes voyages au long cours, mes campagnes, mes pétitions suivies d'actions, si tout cela se

9

décolore en moi, qui au monde s'en souviendra ? Quelle trace laisserai-je, femme sans enfants, si ma vie me devient insignifiante ? C'est la mort avant la mort.

Voilà pourquoi j'ai quasiment bondi dans ma voiture, à nouveau partante, quand j'ai reçu la lettre du secrétaire de mairie de Boismesnil, laquelle s'ouvrait sur une phrase rendue encore plus énigmatique par la bizarrerie de sa tournure :

« Bien qu'ignorant si c'est vous, nous aimerions savoir si vous avez séjourné dans notre commune durant la dernière guerre... »

Mais oui ! c'est moi ! mais vous devriez l'ignorer ! Tout le monde devait l'ignorer ! C'est Odile Soulez, et non Olga Stoliaroff, qui a « séjourné » (quel terme touristique !) sur le territoire de votre minuscule commune, et encore, pas même au village, mais en pleine forêt, à l'écart – c'est ainsi que se nommait le lieu-dit : « L'Écart » ! Mais comment diable le savez-vous ? Ainsi, c'est mon passé le plus clandestin qui ressuscite...

« Si c'est le cas... » (mais oui, c'est le cas ! Arrivée juste après les examens de deuxième année, avant même le dernier oral, le soir de l'arrestation de Paul, en juillet 1943, d'abord sans nom et sans état ; puis rebaptisée et faisant fonction d'infirmière, avec même un faux diplôme des Diaconesses de Reuilly, – les chères âmes !) *« ...si c'est le cas, nous aimerions entrer en contact avec vous, suite à une découverte, et vous demander également de nous aider à retrouver les autres personnes concernées que nous ne repérons pas sur le Minitel... »*

Le plus cocasse est que pas un instant je n'ai songé à téléphoner à cette obligeante mairie, bien que le numéro d'appel figurât sur son papier à en-tête. Peut-

10

être un réflexe de clandestinité, comme un vivant remords : « Ma chère enfant, surtout, ne téléphonez pas d'ici, ni du village ! » Ou bien, à distance et avec le recul du temps, Boismesnil m'apparaissait-il comme un trop minuscule village pour avoir le téléphone dans sa mairie – alors même que son secrétaire me parlait de son Minitel ! Non, je ne songeai qu'à prendre la route pour déchiffrer le mystère « *me concernant* », suite à « *une découverte* », moi, docteur Olga Stoliaroff, retraitée, repérée par le Minitel !

*

Comme j'étais déjà sur l'autoroute, je me suis rappelé combien de fois, de la clinique, j'avais téléphoné au Docteur quand il officiait à la mairie derrière une table recouverte de moleskine noire avec un buvard vert. Une table sans malice, dont on ne pouvait imaginer qu'il pouvait sortir des faux papiers, des faux certificats. Pour l'ordinaire, devant lui, le Docteur et maire trouvait, à côté des tampons, des liasses de papiers « récupérés » : de vieilles factures, de vieux prospectus médicaux, de vieilles pages de vieux registres qu'il découpait en modestes carrés pour écrire au dos. A la clinique, il nous demandait parfois de coudre ensemble les prospectus grand format, la face vierge toujours du même côté, pour la dizaine d'enfants de l'école qui n'avaient plus de cahiers. A la mairie, le Docteur régnait sur les tickets d'alimentation, les réquisitions de bois, parfois les billets de logement pour une compagnie allemande qu'il envoyait cantonner le plus loin possible de la clinique, au grand dam des gens du hameau de Saint-Edme, toujours de corvée. C'est là qu'il paraphait, comme maire, des certificats de décès qu'il avait signés comme médecin. La majorité de son temps passait en demandes réitérées de bons d'essence et en palabres avec l'administration des Eaux et Forêts. Combien de fois les charretiers, avec leurs forts chevaux picards aux croupes ballonnées attelés par quatre à des fardiers surchargés de grumes de hêtres, barraient notre unique petite route, cuvant leur vin et piquant un roupillon tandis que les bêtes broutaient l'herbe des talus, sous prétexte qu'il ne passait plus guère d'autos, « sauf les Chleuhs et ça leur fait les pieds d'attendre ». Pendant ce temps, nous étions trente-huit personnes à la clinique de la Forte-Haie qui guettions vainement la carriole du boulanger. Le repas de midi était terminé, et les malades furieux, quand enfin on entendait le crissement des roues ferrées et le pas du cheval : « C'est la faute aux charrois qu'étaient en travers », grommelait l'homme aux miches. Et la faute aux charretiers qui, moyennant d'obscures tractations, prélevaient au barrage un peu de mauvais pain et quelques paquets de nouilles grises. En ces temps difficiles, dans les bois, chacun exerçait son petit pouvoir. Le Docteur devait bien fermer les yeux ou amadouer de quelque façon tel ou tel, gardes forestiers, bûcherons, braconniers et charretiers qui vont partout, voient tout, savent tout des bêtes et des gens. Grâce à ce réseau de connivences, nous avons été prévenus à temps, par un anonyme à vélo, hors d'haleine, chaque fois que les Allemands arrivaient – à temps pour préparer leur réception quand ils voulaient « visiter ». Puis vint l'époque où gardes et bûcherons décrochèrent les parachutistes anglais retenus dans les branches et nous les amenèrent à la nuit tombée.

De téléphone, à la clinique, il n'y en avait qu'un, dans le bureau du Docteur. Je n'ai compris que plus tard que c'était par mesure de précaution. Cependant, dès le premier soir, j'avais remarqué un branchement pour un poste à l'économat où je dormais sur un lit de fortune, durant la période floue qui suivit mon arrivée en catastrophe. Je n'étais déjà plus Olga, étudiante en médecine, mais je n'étais pas encore Odile, infirmière. Je n'étais plus personne. Je crois même qu'un temps, le Docteur dut me faire passer pour une malade. Je ne sais plus.

Pourtant, je donnais déjà des coups de main dans la maison, car c'est en aidant la petite bonne à monter étendre des draps dans la sombre touffeur du grenier que j'aperçus quelques combinés noirs posés à même le plancher. Malgré ma terreur des frelons – oui, c'était bien l'été, juste après la vague d'arrestations à laquelle mon père m'avait soustraite de justesse –, malgré ma terreur des frelons dont j'entendais ou imaginais le vrombissement, j'étais retournée seule au grenier farfouiller dans tous les recoins découpés par les poutres, sous l'ardoise brûlante des pignons biscornus. J'avais rapporté un des appareils dans mon cantonnement de fortune, en vue de le bricoler derrière le paravent qui masquait mon lit et de me brancher une ligne – rien de moins !

Nous, les jeunes, à l'époque, y compris dans les bonnes familles, nous étions aussi chapardeurs que débrouillards, fureteurs infatigables et bricoleurs aventureux. Si nous appartenions à un mouvement de résistance, comme c'était mon cas, notre présomption ne connaissait pas de bornes. Face à l'occupant, à sa police, à la milice qui la secondait, nous n'étions riches que d'audace et d'astuces, et nous nous croyions beaucoup plus malins que les autres. Les adultes, nous les jugions responsables d'une défaite qui les avait laissés accablés, trop passifs et prudents à nos yeux. Ils ne pensaient qu'à trouver de quoi manger ou se chauffer, ce que nous méprisions fort, nous qui leur chipions de la nourriture sans vergogne, tant nous avions faim, mais en passant, comme ça, pour continuer la lutte. Nous nous autorisions quantité de petits larcins (« C'est toujours ça que les Allemands n'auront pas »), mais surtout des « coups fumants », parfois vraiment ingénieux, parfois seulement inconscients. Les mois passant, les coups durs se multipliant, les jeunes sont devenus plus sérieux, plus responsables. Mais, en 1942-43, j'en témoigne, nous étions intenables, ardents et très suffisants dans notre monstrueuse naïveté. Comme, plus tard, j'allais découvrir les maquisards fraîchement arrivés : farauds, souvent folâtres, tour à tour excités et abattus. Nous nous répétions un texte de Péguy : « *Une révolution est de l'ordre de la jeunesse, de l'enfance même, et de ce qu'il y a de plus rare et de plus précieux quand on a le bonheur de pouvoir en trouver dans ce monde : la fraîcheur.* » Beaucoup d'entre nous avaient la foi et le disaient, je me souviens, – et pourtant nous vivions la haine au cœur. Nous haïssions les nazis, les miliciens, les collabos, mais aussi les « zazous » – ces petits minables en vestes longues et semelles énormes qui se tortillaient « swing » et trafiquaient salement. Dire que, cinquante ans plus tard, de prétendus historiens laisseraient entendre que les « zazous », ces « Inc'oyables » de l'Occupation, étaient à leur manière des opposants, voire des résistants, eux qui vendaient d'infâmes torchons « antijuifs, antifrancs-maçons, antigaullistes, antirépublicains » — anti-nous, en somme! Nous étions sans pitié. Ce qui s'appelle : intransigeants. Je serais étonnée qu'un seul de mes camarades du réseau « jeunes » dont je faisais alors partie ait, plus tard, à la Libération, versé une larme de compassion et encore moins éprouvé quelque remords à la vue des femmes tondues : quelques heures de honte publique, ce n'était pas cher payer leurs trahisons vénales, leur luxe offensant pendant les jours de misère, leurs rires gloussants les nuits de torture, et la disparition, à jamais, de ceux qu'elles avaient dénoncés. Nous aurions été bien surpris d'apprendre que les poètes célébreraient comme un martyre leurs piteux dévoilements et nous feraient grief de notre irréversible fidélité. Un malentendu de plus. Car, du fait de la forme prise par notre guerre, nous étions une génération perdue pour nos parents. Du reste, nous leur cachions tout, même ceux d'entre nous qui vivaient encore chez eux : la clandestinité commençait à la maison.

J'avais donc bel et bien chipé un appareil, mais je ne branchai pas ma ligne. Ni la peur des conséquences, ni les scrupules à l'endroit de l'homme qui me cachait ne me retinrent. Mais plutôt mon ignorance technique : le cordon une fois coupé et dégagé, il se déploya une sorte de blaireau de fils multicolores qui me laissa perplexe. La pensée de la Gestapo ne m'arrêta pas, mais la frousse de prendre une décharge en raccordant n'importe quoi à n'importe quoi.

Cet échec ne me calma en rien. J'en avais voulu à mon père dès l'instant où il était venu m'attendre à la Fac, une valise à la main, pour organiser ma disparition.

Il disait que la mère de Paul (que savaient mes parents de Paul ? comment la mère de Paul les connaissait-elle ?) était parvenue à les prévenir qu'il avait été arrêté, que son immeuble était une souricière où d'autres déjà s'étaient fait piéger, que dans la chambre de Paul, avec les grenades et les pains de plastic, « ils » avaient trouvé des piles de lettres d'Olga, de photos d'Olga, qu'« ils » l'avaient même interrogée, elle, à propos d'Olga...

Sa mère, mon père... Que venaient faire nos parents dans nos histoires ? Mes lettres et mes photos n'étaient en rien compromettantes. Bien sûr, c'était affreux qu'elles fussent lues par un interprète de la Gestapo. Mais elles ne contenaient pas la moindre allusion, pas la moindre indication. Des lettres d'amour : pas de quoi me faire disparaître, – ce qui risquait d'alerter les Allemands, justement. Dans la valise qu'elle m'avait préparée, Maman avait cru bon de glisser, protectrice et sentimentale, une missive autrement redoutable avec ses références tarabiscotées à Paul. Je n'avais jamais mis ma famille au courant de rien, et voilà qu'ils m'avaient récupérée comme une gamine rebelle pour m'expédier dans cette maison de fous, loin de tout, seule jeune avec la bonniche au milieu de tous ces vieux – le Docteur, l'infirmière, les pensionnaires, les cuisinières, les jardiniers... Même celui qu'on appelait parfois « le jeune docteur », ou « le docteur Josse », pour le distinguer du Docteur, avait bien trente-cinq ans. J'étais coupée des autres. Je rongeais mon frein.

Restait le poste de téléphone qui trônait sur le bureau du Docteur, un modèle « rural » suranné, mais luxueux. C'était un cube d'acajou verni surmonté d'un combiné chrome et galalithe, pourvu d'une manivelle qu'il fallait tourner quatre ou cinq fois, comme un moulin à café, avant d'attirer l'attention de l'invisible dame des PTT. Le cérémonial voulait qu'on appelât « Mademoiselle » l'acariâtre matrone qui vous « passait » votre inter-locuteur. « Mademoiselle, pour le 3 à Boismesnil, je voudrais le 2 à Boismesnil, s'il vous plaît! – Ne quittez pas, je vous passe le Docteur à la Mai-re-rie! » sifflait l'indiscrète préposée qui savait tout et connaissait son monde.

Il m'était interdit de téléphoner, – de téléphoner à Paris, s'entend. La meilleure façon de prouver au Doc-teur la reconnaissance que Papa m'avait recommandé de lui témoigner (« Il te sauve la vie! ») eût été d'obéir à ses ordres. D'autant plus qu'il savait en donner. Vous vous sentiez écouté et compris du moment qu'il penchait vers vous sa longue silhouette, braquait sur vous d'ardentes prunelles au fond d'orbites ombreuses, et s'adressait à vous en confidence d'une voix tamisée à l'articulation parfaite. C'était son mode bienveillant de captation autoritaire. « Pour l'instant, ma chère enfant, vous ne sortez pas, vous parlez le moins possible et, sur-tout, vous ne téléphonez pas, ni à votre famille, ni à vos amis! » De sa main droite, il tranchait l'air de haut en bas à chaque membre de phrase. Je crois qu'il ne le fai-sait pas exprès. Je l'ai revu faire ce geste impérieux maintes fois, devant les hystériques, tandis qu'il répé-tait : « C'est fini! Maintenant, c'est fini! » Il abattait sa main maigre au pouce retourné comme on balance une hache, coup après coup. C'est comme ça et pas autre-ment!

Juste après mon arrivée (je n'avais encore ni mes nou-veaux papiers, ni mon nouveau statut d'infirmière), le

Docteur, faute de voir « honorer » son bon d'essence, dut partir à vélo à Compiègne « chercher des médicaments », me dit-on. Dix kilomètres aller, dix kilomètres retour – il en avait pour des heures. Son bureau était resté ouvert. Je tournai la manivelle du téléphone à mort, puis décrochai : « Mademoiselle, pour le 3 à Boismesnil, donnez-moi, à Paris, Kléber 22 78, s'il vous plaît ! » « – Pour Paris, y a de l'attente. Raccrochez, je vous rappellerai. » Je demeurai longtemps près de l'appareil, muet. Il était entendu, dans le réseau, que celui qui était brûlé devait appeler un certain Gérard et lui dire que le cours d'anatomo-patho était annulé. Je m'attendais à tomber sur la bonne ou sur la mère. On me fera remarquer qu'en pleines vacances, il n'y avait plus cours. Mais nous n'avions rien prévu d'autre ! Si on me demandait : « De la part de qui ? », je répondrais comme à la BBC : « Message personnel. » Le silence s'éternisait. Je demeurais figée, une main sur le combiné pour décrocher plus vite. Tout à la fois, la sonnerie retentit et Mlle Puech entra en trombe dans le bureau.

« Le numéro que vous avez demandé à Paris ne répond pas, vous annulez ? » Au lieu d'acquiescer, ne pensant qu'à Mlle Puech qui m'avait surprise en train de téléphoner, je balbutiai : « C'est une erreur ! ». Mais l'autre vociférait dans l'écouteur : « Allô ! Vous êtes bien le 3 à Boismesnil ? La clinique de la Forte-Haie, à L'Écart ? Le numéro que vous avez demandé à... » Je raccrochai, puis détournai la tête, le feu aux joues. Quelle imbécile j'étais ! La préposée avait noté l'heure, le numéro demandé à Paris. Qu'on lui raccrochât au nez, et elle croirait s'être trompée. Elle allait rappeler. Et elle cafarderait au Docteur, à la prochaine occasion. Je me ferais chapitrer d'importance, comme une sale gamine.

J'étais comme pétrifiée quand la sonnerie reprit... Je laissai Mlle Puech s'approcher du téléphone et répondre posément. « Mais non, mademoiselle, nous n'avons pas demandé Paris, je vous confirme que c'est une erreur. » Puis elle s'approcha d'une fenêtre et souleva le voilage pour mieux voir l'averse d'orage crépiter sur le carreau. « Ça fait du bien, cette pluie, mais, pauvre Docteur ! Ou il va être trempé, ou il va s'abriter dans une hutte de cantonnier et il va prendre un grand retard... » « – Mais pourquoi est-ce lui, à son âge, qui doit faire ce long trajet à vélo ? Le docteur Josse pourrait bien aller en ville à sa place ! » Mlle Puech se tourna d'un bloc, sa blouse blanche d'infirmière entortillée dans le rideau : « Le docteur Josse ne doit pas sortir, si vous voyez ce que je veux dire ! Je pensais que vous, au moins, vous l'auriez compris ! »

Voilà que, cinquante ans après, à ce souvenir aigu, un élancement de remords m'a fait lever le pied de l'accélérateur et écraser mon poing sur ma bouche. Ainsi, j'avais été assez folle pour compromettre la sécurité de tous en ne pensant qu'à moi ! Plus tard, j'appris l'étendue de mon imprudence : les coupe-feu que nous avions imaginés dans notre réseau n'avaient pas gêné la Gestapo, qui était remontée jusqu'à ce Gérard, relais-refuge sans activité, ainsi qu'à une autre innocente boîte aux lettres. Ma mère avait eu la visite de deux Allemands en civil auxquels elle n'avait pas même eu la présence d'esprit de demander une quelconque justification de leur intrusion. Elle avait serré mon petit frère contre elle tandis qu'ils renversaient les bibliothèques, vidaient les tiroirs et jetaient par terre, à la cuisine, nos maigres provisions. « Mon mari et ma fille sont au ravitaillement à la campagne, répétait-elle, mais on ne fait rien, ici, rien, rien... » Enfin, ils l'avaient saluée d'un « Madame ! Excuses ! *Heil Hitler !* » presque déférent, et elle s'en est toujours voulu d'avoir répondu d'une inclinaison de tête. Après leur départ (ils ne devaient jamais revenir), Maman et Nicolas s'étaient effondrés à genoux sur le carrelage de la cuisine, et, sans prononcer un mot, mouillant leur index au bout de la langue, avaient récupéré grain à grain le riz mêlé aux morceaux du bocal brisé, et les précieuses lentilles répandues jusque dans le vestibule.

*

Mon souvenir de la révélation que venait de me faire Mlle Puech est net, préservé, incontestable. Pas une seconde je n'avais pensé que le docteur Josse faisait comme moi partie d'un réseau repéré. Non, mais son accent m'est revenu, et j'ai cru entendre mon père se lamenter une fois de plus de mon manque d'oreille et de perspicacité : « Olga, voyons ! Ce monsieur n'est pas russe ! Tu entends bien, tu vois bien que c'est un Juif polonais, non ? Tu ne peux pas confondre ! » Les yeux aux paupières roses du docteur Josse m'avaient longuement fixée à la table du déjeuner quand il croyait que je ne le voyais pas, non comme un homme reclus qui découvre une fille fraîche et point trop vilaine, mais avec une méfiance armée. Il avait compris que je n'étais pas malade et que je n'étais pas juive. Mon type slave, évident, le rendait perplexe. Slave, donc antisémite.

C'était bien cela. Un jour, il me demanda si j'avais fait la connaissance, au sous-sol, de la grande Anna à l'éternel foulard, l'aide-cuisinière au puissant rire édenté, ancienne ramasseuse de betteraves qui vaticinait en polonais en remuant ses casseroles.

« La grande Anna de la cuisine ? Oui, pourquoi ? Je l'ai vue, mais je ne comprends rien à son baragouin. Ah ! ah ! vous m'avez crue polonaise ? J'en ai peut-être l'air, on me l'a déjà dit, mais non, française je suis, tout à fait ! »

A quoi bon lui expliquer que ma mère était de Saintes et que mon père (lycée Montaigne, lycée Saint-Louis, École supérieure d'Électricité, croix de guerre 1914-1918, etc.), parisien de Paris, était arrivé à neuf ans, en 1905, avec ses parents, de la ci-devant célèbre ville de Saint-Pétersbourg, pour un séjour touristique, à l'occasion d'un stage que mon grand-père Stoliaroff, l'ingénieur des chemins de fer, venait faire chez ses amis du PLM ? La première révolution, celle de 1905, l'avait dissuadé de repartir, d'autant plus que sa propriété à la campagne avait été incendiée. Il était resté au PLM et, vingt ans plus tard, prospère et naturalisé, il faisait figure de nanti aux yeux des pauvres Russes à « passeports Nansen » qui s'abattaient sur Paris. Ainsi donc, les eaux grises de la Neva de mes grands-parents paternels mêlées à celles de la Charente (inférieure) de mes grands-parents maternels m'avaient donné l'air polonais ! Je vérifiais une fois de plus que l'intuition dont se prévalent les Slaves du nord et du sud et les Juifs de l'est pour s'identifier les uns les autres n'était pas infaillible ! Je l'avais déjà fait acidement remarquer à mon père quand – rarement, il est vrai – je le coinçais en flagrant délit de mauvaise identification d'origine. Du reste, ces distinctions m'indifféraient, aussi ne me trompais-je pas d'étiquetage. Mon père, lui, estimait qu'il était essentiel d'avoir du flair, de savoir qui est qui. Moi, sa fille, je n'étais qu'une « pauvre plouc » de Française sang-mêlé, sans finesse d'observation, et je me ferais avoir par le premier venu. C'était son expression favorite : « le premier venu ». Façon de me reprocher d'être trop française, « malgré les apparences », et de ne pas vouloir servir le thé chez mes grands-parents.

Mon père était très fort pour repérer, parmi la faune des émigrés russes première et surtout deuxième émigration, 1918-20, les vrais « talons rouges », les marchands de bois, les barons baltes et les Baltes pas barons, les pieuses enfants de notre Sainte Mère Russie, les Juives « bien apparentées », et les Juifs de Peter, et ceux de Galicie, et les financiers, et les anciens fourreurs, – et les stipendiés de Lénine qui se mêlaient aux vraies comtesses et aux chauffeurs de taxi professeurs émérites, « mais que certaines tournures, certain vocabulaire, certains manquements aux usages » trahissaient.

Je n'étais pas polonaise, je ne comprenais pas le polonais, avais-je répondu à Josse, pourquoi diable me parler ainsi de la grande Anna ? Pourquoi lui faisait-elle peur ? Tout le monde savait, en cuisine, qu'elle était sans famille et sans le moindre papier. On pensait qu'elle s'était perdue au moment de la débâcle, arrivant des grands champs de la Picardie betteravière. C'est ce qu'avait compris ou cru comprendre le jardinier qui l'avait trouvée, assoupie dans la cabane à outils du potager. Si le Docteur et Mme Edwige ne l'avaient pas prise en pitié, elle eût dormi dans les bois, la pauvre Anna, sans un liard et analphabète. Pourquoi donc ferait-elle du tort au jeune docteur ? Elle travaille au jardin et à la cuisine comme un homme de peine, elle mange comme un homme de peine, elle rit tout le temps malgré ses dents cassées, elle soulève comme fétus les plus lourdes marmites, les sacs de pommes de terre et les brouettées de briques. Elle soulève aussi comme fétu, en le prenant par la nuque, le « Ch'tiot Père », le jardinier sexagénaire, son petit homme, si fluet qu'il ne lui vient qu'à l'épaule. Elle le tient ainsi en l'air et le secoue en gloussant de son formidable rire, jusqu'à ce que les galoches lui glissent des pieds. Ces deux-là n'ont pas vingt mots en commun pour se parler, mais ils se tiennent chaud, les nuits d'hiver, dans les communs sans chauffage. Le Ch'tiot Père lui a même fait cadeau d'un foulard pour sa tête, afin qu'elle puisse laver celui qu'elle avait vissé au crâne depuis son arrivée. Pourquoi le docteur Josse voudrait-il que cette pauvre géante d'Anna, qui a trouvé un nid dans la tourmente, lui fasse le moindre tort ? Sans compter qu'elle seule sait s'occuper de ces deux maudites vaches que le Docteur a achetées et sans lesquelles nous n'aurions pas de lait !

Mon plaidoyer pro-Anna avait lentement fait rougir Josse qui, de châtain, semblait devenir roussâtre quand un flux de sang gagnait son front aux rides étonnées. Il m'affirma avoir expliqué au Docteur pourquoi il préférait éviter Anna, et celui-ci l'avait approuvé.

Néanmoins, très vite après notre conversation, le lendemain peut-être, alors que nous attendions ensemble le réveil d'un électrochoqué à l'infirmerie du premier, il me montra par la fenêtre la grande Anna qui descendait l'allée centrale du potager avec un panier et m'annonça tout à trac qu'il allait « lui parler polonais » !

23

Elle était penchée sur les tomates écarlates que nous valait un nouvel été torride de guerre, quand Josse arriva par-derrière et l'interpella. Je la vis se déplier, se couvrir le visage de son coude comme un enfant qui craint la gifle, puis elle s'agrandit encore de ses deux bras levés au ciel et se mit à danser sur place, avant de fondre sur lui pour le serrer contre elle. J'ouvris la fenêtre, pensant percevoir, plus aigu que jamais, un torrent de paroles chuintantes (dont je saisissais, proche du russe, un mot par-ci par-là, en dépit de ce que j'avais dit à Josse). Mais non, la grande Anna chuchotait véhémentement. D'une main elle agrippait le revers du veston du jeune docteur, de l'autre elle rabattait la pointe de son foulard de tête devant sa bouche comme pour étouffer ses paroles.

De son singulier colloque dans le potager, Josse rapporta une étonnante supplique d'Anna. Surtout, que le Docteur ne cherche plus sa famille par les bureaux, la Croix-Rouge, les gendarmes ! Elle lui avait donné un « mauvais nom », car, en réalité, elle ne s'était pas perdue, elle s'était sauvée. Elle avait fui un mari qui la battait et qui vivait sans doute encore à quelque trente kilomètres de là. Ce bout d'homme de Ch'tiot Père valait cent fois mieux. Elle était bien ici, elle ne voulait pas en partir. Mieux valait se taire à son sujet, d'autant plus qu'il fallait faire attention ! Lui aussi devait faire attention, car, dans la plaine, c'était plein d'Allemands qui voulaient la peau de « tous les Polonais et de tous les Juifs ». Elle lui avait recommandé de rester dans la forêt chez le bon Docteur : « Sans ça, ils vous tueraient... »

« Croyez-vous qu'elle vous ait... identifié ? » ai-je alors demandé.

Il a sursauté à ce mot, sourcils froncés. Il a répété :
« Identifié ? Que voulez-vous dire ? » Puis il m'a secoué
l'épaule : « Et vous, Odile ? M'avez-vous *identifié* ? »

J'étais coincée. Pourquoi avais-je dit cela ? Parce que,
mélange d'ignorance et de gêne, je ne pouvais prononcer le mot « israélite », comme ma mère, et encore
moins le mot « juif », comme mon père ? Était-ce à
cause des discussions qui les divisaient ? Ou de la colère
de Daniel, un camarade de dissection, un jour, contre
Paul ahuri : « Je ne réponds pas à ce genre de question !
Moi, j'ai le droit de dire que je suis juif, et même you-
pin, et d'en plaisanter ! Mais ni toi ni personne d'autre
n'a le droit de me le dire, même gentiment ! » Tout ce
que je trouvai à balbutier à Josse fut quelque chose
comme : « Je n'ai rien voulu dire du tout... On ne peut
pas être sûr... On ne peut pas savoir si quelqu'un....
– Vous voyez que j'avais raison de me méfier de
vous ! Vous savez très bien ce que vous avez voulu
dire ! »

Je me récriai : quand bien même « cela serait » (je ne
parvenais pas à préciser davantage), il pouvait compter
sur moi pour le prévenir de tout danger et l'aider à se
cacher, si besoin était, car ce qui me souciait, c'était son
« fort accent étranger ».

« Allons donc ! Pour Anna, avec qui je n'ai parlé que
polonais, je n'ai pas d'accent étranger. N'empêche
qu'elle m'a *identifié*, pour employer votre curieuse
expression ! » Elle avait, dit-il, sorti des profondeurs de
son corsage une médaille de la Sainte Vierge et avait
juré dessus qu'elle ne dirait rien, puis elle lui avait
demandé, à lui « qui ne pouvait pas jurer sur la Vierge »,
de jurer sur la tête de sa mère... C'était cousu de fil
blanc. Les Polonais et les Juifs, ça fait deux !

25

« Pour elle, je ne suis pas polonais ! Elle est originaire de quelque patelin d'une région pourrie – marais amers, sombres forêts, landes désolées – que je connais. Il y a cent ans, nous y étions marchands de chevaux, maîtres de postes, aubergistes, commerçants, puis nous voilà devenus médecins ou industriels. Ses Polonais à elle, toujours à patauger pieds nus dans leurs villages infects. Ce sont des sauvages ! Le dernier pays sauvage d'Europe ! »

Je faillis répondre : Copernic, Chopin, Marie Curie ! Mais je lâchai plutôt :

« Parce que l'Allemagne est moins sauvage, pour vous ? »

A nouveau il avait rougi, mais s'était contenu, laissant le silence nous séparer. « La *chère* Pologne... », disait ma mère. Sa voix enrobait d'une infinie douceur provocante le mot « chère », à l'intention de sa belle-mère, mon altière grand-mère russe qui fronçait le nez et agitait ses mains cireuses. « Ces sauvages ont envahi la chère et vaillante Pologne ! » reprenait ma mère. D'un coup sec, Babouchka cassait une noisette et la croquait. On ne parle pas la bouche pleine. Et puis, la Russie de Staline, alliée aux Allemands, n'était plus avouable : alors, autant laisser sa bru divaguer sur la Pologne...

« L'Europe entière est retournée à l'état sauvage ! explosa Josse pour se rattraper. Il n'y a plus de civilisation européenne ! L'Europe est un monstre malade qui se nécrose ! Dès que je pourrai, je filerai en Amérique ! Vous pouvez en être sûre ! Le premier bateau, et l'Amérique ! »

En voilà un que le secrétaire de la mairie de Boismesnil ne risque pas de trouver par le Minitel ! Il a dû partir pour les États-Unis, ou bien pour Israël. Aujourd'hui, ou il est mort, ou il a plus de quatre-vingts ans. Près de lui, j'aurais l'air d'une otarie, car il a dû devenir un petit vieux droit et sec avec des poches sous les yeux, le regard toujours inquisiteur, le nez accentué par l'âge et par la fourche de profonds sillons encadrant la bouche. Quand il écoutait les malades, guettant pour comprendre, il arborait un bon sourire qui relevait ses paupières inférieures déjà lourdes. Quand il m'apprenait à resucrer les comas insuliniques, ses mains si propres étaient roses, son front plissé de rides en relief, rondes comme des vaguelettes. J'ai toujours tout ignoré de lui : son nom, qui n'était sûrement pas Josse, son prénom – personne, jamais, ne l'appelait par un prénom vrai ou faux –, ses « tenants et aboutissants », comme on dit drôlement. Il « tenait » sûrement aux siens que les nazis traquaient comme des bêtes. Mais, après des années passées à se cacher de lui, avait-il décidé de combattre l'ennemi ? Avait-il « abouti » à la lutte armée ?

*

Au printemps 1944, j'avais quitté la Forte-Haie pour rejoindre au maquis les restes de mon réseau. J'étais allée faire mes adieux à Josse, la veille au soir, dans sa chambre où je pénétrais pour la première fois. Il avait déposé sur sa table le livre qu'il dissimulait dans son dos quand il était allé ouvrir : une Bible protestante, traduction Louis Segond, reliée cuir, qu'il voulait que je voie. Je ne lui ai dit ni mon vrai nom slave, ni que je n'étais pas infirmière. Je lui ai annoncé que, le lendemain

27

matin, je « partais me battre ». Ma grandiloquence l'a fait tousser de rire. « Je vais me battre pour que des gens comme vous puissent partir en Amérique ! Il faut bien qu'il y en ait qui boutent l'ennemi hors de France ! » C'est ainsi que nous parlions aux adultes, nous, les jeunes, sans la moindre peur du ridicule. Nous ne vomissions que les tièdes.

« La pucelle va délivrer Orléans ! » m'a-t-il lancé. Il ne croyait pas si bien dire. Puis il m'a traitée de lâcheuse qui laissait tomber malades et amis, et il s'est enquis de l'étendue de mes connaissances dans le maniement des armes.

Comment a-t-il réagi, Josse, à la mort du Docteur, au début d'août 1944, dans le dernier et gigantesque bombardement de la gare de Compiègne ? Je ne l'ai jamais su. Dans une autre forêt parsemée d'étangs, au sud d'Orléans, j'étais coupée de tout, à attendre les parachutages de nuit et à tenter de préserver pour les Alliés une usine de munitions. Nous sommes restés coincés là jusqu'en septembre, dans une « poche » remplie d'Allemands qui, pris en tenailles par les Américains, n'en refusaient pas moins de se rendre aux « terroristes » dépenaillés que nous étions. Lorsque je parvins à en sortir pour regagner Paris, je marchai, tout éberluée, dans une ville méconnaissable, pour enfin tomber dans les bras de Maman. Dans notre salle à manger où je n'étais pas revenue depuis plus d'un an – une éternité ! –, elle me servit un grand verre d'eau fraîche rosie des dernières gouttes d'un sirop de framboise d'avant-guerre. Je tenais la main de Maman et buvais ce nectar léger de mon enfance, couleur de bonbon fondant, tandis qu'elle m'annonçait des morts, à moi qui attendais des

28

nouvelles de Paul. Elle me dit la mort de mon grand-père à Nice, où Papa était parti avec Nicolas. Elle ajouta : « As-tu eu des nouvelles de Boismesnil ? Sais-tu que le Docteur a été tué dans un bombardement, juste trois semaines avant la Libération ? Lui qui avait tant fait pour les autres, il n'aura pas vu ce grand jour. » J'ai dû répondre : « Le pauvre... »

Les paroles de Maman avaient levé des images. « Trois semaines avant la Libération », les gars de Bois-mesnil, bûcherons ou anciens piqueux de chasse, avaient sûrement sorti les fusils et fraternisé avec les parachutistes anglais qu'ils avaient décrochés des arbres et emmenés se cacher à la Forte-Haie, dans les communs. Ils devaient déjà se saouler en prévision de la prochaine victoire, mais, la nuit, aller tirer quelque « Chleuh » égaré qu'ils avaient repéré comme ils repé-raient les cerfs dans les halliers. Josse s'était-il joint à eux pour faire le coup de feu ? Trois semaines avant la Libé-ration, c'était encore trois semaines de tous les dangers pour les planqués comme pour les résistants. Josse avait-il demandé qu'on lui passe un fusil ou était-il resté caché auprès de la pauvre veuve ?

J'imaginais le camion s'arrêtant devant le perron de la clinique et, avec des précautions devenues inutiles mais manifestant le respect, des mains descendant une civière ensanglantée sur laquelle gisait le Docteur, encore recouvert d'un suaire pulvérulent de plâtras. A grand-peine, on l'avait extrait d'un abri anti-aérien écroulé, face à la gare de Compiègne, le jour du dernier bom-bardement. Après ce bombardement-là, gigantesque, il n'était plus resté de la gare que des rails tordus et des entonnoirs géants. Aucun « convoi » ne devait plus en partir.

Pour chaque « convoi », dans l'obscurité de wagons de bois qu'ensuite ils plombaient, les Allemands entassaient les prisonniers venus à pied depuis le camp de Royallieu. A pied, faisant un bruit de troupeau dans les rues vides de Compiègne, vides parce que vidées par ordre de la Kommandantur, et tous volets clos. Les jours de transfert, sur tout le parcours des prisonniers, les volets devaient être fermés, les habitants invisibles. Les prisonniers ne voyaient pas même les volets clos ni les affichettes à croix gammée ordonnant ce désert, car ils marchaient tête baissée, regard au sol, – tels étaient les ordres, gueulés en allemand, qui ponctuaient ce long piétinement. La gare était déserte, les cheminots enfermés dans le bureau de la consigne. Les wagons bourrés, les portes tirées et plombées, le « convoi » lentement s'éloignait vers l'Est, laissant sur le quai quelques Allemands et leurs chiens – très peu de monde, en somme. Une poignée d'hommes armés avait réussi une fois de plus l'inhumaine transhumance de milliers d'hommes désarmés.

On a raconté que le jour du grand bombardement du 9 août 1944 qui coûta la vie au Docteur et rasa la gare de Compiègne, des prisonniers du camp de Royallieu étaient employés sur les voies à réparer les dégâts d'une précédente attaque aérienne, sous la surveillance de quelques Allemands, pistolet au poing et chiens en laisse. Quand commencèrent de s'abattre les tonnes de bombes, on dit que les chiens, hurlant, tirèrent sur leur laisse, entraînant les gardiens, et, dans un nuage de poussière et de mâchefer volant, les prisonniers disparurent, les uns mortellement atteints, les autres libres, courant, courant sous le couvert du tourbillon de gravats, jusqu'à Margny où ils trouvèrent des caches. Ce furent les seuls déportés en transit à Royallieu qui parvinrent à s'évader.

Si le Docteur l'avait su, dans l'immense chambardement qui fit s'écrouler sur lui et sur d'autres corps tout chauds blottis dans une cave baptisée « abri » un amoncellement de poutres et de pierrailles, il aurait eu l'œil allumé de joie et ce long sourire étiré qu'il arborait quand il sentait acquise quelque secrète victoire.

II

Qu'avait fait Josse après la mort du Docteur? Avait-il soutenu la pauvre Mme Edwige et fait marcher la maison durant ces trois semaines, et puis encore un bout de temps, peut-être, puisqu'aussi bien les malades ne pouvaient attendre de la Libération d'être délivrés de leur malheur? Ou bien avait-il réclamé une arme et s'était-il rebellé, comme tant de ces Polonais qu'il méprisait l'avaient fait alors que, cinq années durant, ils avaient été traqués et décimés sur toute l'étendue de leur patrie annexée?

Je n'ai jamais su ce que le docteur Josse fit de ces dernières semaines avant la liberté, sinon qu'il atteignit, sain et sauf, la fin de l'Occupation, la fin de sa longue patience et de sa longue méfiance. La forme de son courage, qu'à l'époque je n'appréciais guère, résidait dans l'exactitude scrupuleuse avec laquelle il observait les consignes de discrétion comme un moine se conforme aux règles de la clôture : jamais il ne sortait de la propriété, jamais il ne répondait au téléphone, jamais il ne traînait dans le hall à l'heure où venait le facteur. Quand « on » nous prévenait que les Allemands en permission de détente au château de Pierrefonds, las des splendeurs wagnériennes des reconstitutions Viollet-le-Duc, entamaient une virée dans les manoirs des environs, il montait au second, en observation. Si la voiture de ces messieurs s'arrêtait devant le perron, il se servait de son passe pour s'enfermer dans la chambre de force avec une camisole. Mlle Puech, qui volait d'étage en étage, venait le ficeler, puis allait ligoter le vieux M. Roques sur son lit. J'avais ordre d'aller de chambre en chambre pour demander à une de ces dames si elle acceptait de bien vouloir pousser quelques hurlements « pour faire peur aux Allemands ». Un jour, comme Josse courait, sa camisole à la main, se barricader dans le cabanon, il y trouva la pauvre Lucile en pleine crise, demi-nue, balafrée d'excréments. Il la mit dehors telle quelle, et elle entreprit de descendre sans bruit le grand escalier, les mains en avant, comme un spectre. Nos visiteurs, qui montaient, pleins de curiosité, se figèrent, têtes levées. Comme Lucile atteignait le palier, exhalant une odeur de fumier, je parvins à lui prendre la main, et, toutes deux, nous contemplâmes les beaux officiers qui, d'un pas viril, rebroussèrent chemin.

Quelle jubilation quand, ma pauvre folle et moi, nous les regardâmes de tout notre haut! Jamais, depuis le début de l'Occupation, je n'avais croisé le regard d'un Allemand. Nous étions tous ainsi : les yeux ailleurs, dans la rue ou le métro, un peuple aux paupières baissées. Je ne concevais d'autre face-à-face que les interrogatoires, moi humiliée, eux arrogants, et la sueur m'en coulait dans le dos à seulement l'imaginer. Et voilà qu'Odile Soulez s'était permis ce qu'Olga Stoliaroff jamais n'aurait osé : je les avais fixés, je les avais défiés,

un petit sourire aux lèvres, dans ma tenue de fausse infirmière, tandis qu'ils sortaient leurs mouchoirs comme
l'escorte de Bonaparte aux massacres de Chio !

Enfant, j'aimais passionnément me déguiser, car alors
je débordais d'audace et d'impertinence sous mes ori-
peaux de mi-carême. Je ne comprenais pas que Josse se
refusât ce plaisir à l'abri de ses faux papiers. Je le taqui-
nais à propos de ses fuites et de son refuge au cabanon.
Il se contentait de grommeler que je « ne pouvais pas
me mettre à sa place ». Je me croyais fine de répondre :
« Qu'en savez-vous ? », manière de lui reprocher sa
défiance envers moi. Je savais n'avoir qu'une *fausse vraie
carte* d'identité et un faux diplôme d'infirmière, et je le
soupçonnais, lui, d'avoir reçu une *vraie fausse carte*, et
d'être vraiment médecin. Aujourd'hui seulement, je me
rends compte que, quels que fussent ses papiers, au premier contrôle « au corps », il eût été trahi par son visage,
par son accent... et par son sexe ! Mais cela, trois années
d'études médicales ne me l'avaient pas appris.

Qu'il fût réellement médecin, neuropsychiatre, et
même un des meilleurs que j'aie jamais rencontrés, je
n'en ai jamais douté. Pour un peu, il m'eût donné le
goût de la psychiatrie – mais, quand est venu le temps
de me spécialiser, la psychanalyse l'avait déjà investie et
je m'en suis éloignée sans regret.

J'aimais voir travailler Josse. Il n'avait pas le charisme
du Docteur devant qui s'apaisaient les flots et se cou-
chaient les bêtes sauvages, vénéré et calme triomphateur
de tout face-à-face avec les malades, du moins avec les
névrosés, – l'essentiel de notre clientèle à la Forte-Haie.
Le Docteur subjuguait les névrosés et se montrait habile
à esquiver les psychotiques. Josse, lui, donnait l'impres-

sion d'aimer les malades, même les déments séniles. Il savait les faire parler et surtout les écouter geindre, ressasser, hurler, délirer, extravaguer. Selon lui, bien qu'ils fussent enfermés en eux-mêmes, les névrosés exprimaient notre époque. Il parlait si bien des malades qu'un jour je lui demandai la permission de prendre des notes ; après un long développement sur la crise mélancolique, il fit mine de ne plus savoir où il en était, me chipa prestement mon cahier et relut ce que je venais d'écrire.

« Si toutes les infirmières prenaient des notes comme ça ! Dans quelle école avez-vous été formée ? Où avez-vous fait vos stages ? »

L'aménité admirative du sourire dissimulait mal une solide méfiance que des semaines de travail en commun n'avait pas entamée. Je bredouillai : « Aux Diaconesses », et lui : « Qu'est-ce que c'est que ça ? » Je pouvais lui débiter avec candeur tout un boniment, il ne m'aurait pas crue. J'ai donc été chercher le beau diplôme, mon tout nouveau faux diplôme, soigneusement antidaté, et l'ai déplié sous ses yeux. Ensemble nous avons contemplé cette preuve sans réplique, un vrai diplôme de guerre, de format plus petit et de papier plus grisâtre, où s'étalait, calligraphiés en ronde, avec de très fines éclaboussures d'encre noire, le nom de SOULEZ, qui me paraissait aussi bizarre que ridicule, et les trois prénoms tout ce qu'il y a de plus français que m'avait choisis la femme du Docteur : Odile, Geneviève, Marinette.

J'avais la preuve que le Docteur ne m'avait pas « donnée » : Josse ne savait rien de moi, hormis ce que je lui avais dit, à savoir que je n'étais pas polonaise, mais bien infirmière diplômée, pas juive, pas malade, mais... quoi?

« Vous auriez pu viser plus haut... Si j'en crois Francine, vous avez vos bachots? »

Et voilà! Le Docteur m'avait bien recommandé de « parler le moins possible ». Ce que j'avais traduit : pas un mot de Paul que la grâce d'un rêve, une nuit sur deux, me rendait, intact et chaud, dans tout son éclat de vainqueur; pas un mot de la prison d'où il ne m'écrivait pas, comme s'il avait sombré dans le néant, le néant « vaste et noir »; pas un mot du réseau, des deux Jacques, eux aussi arrêtés, dont un devait avoir donné Paul, ni de Denise, disparue de la circulation; ni de mes études, du concours de l'externat pour lequel je devais m'inscrire; ni même de mes grands-parents russes blancs, depuis peu partis rejoindre à Nice une vieille comtesse toquée de leurs amis qui y tenait une manière de pension de famille. « Ainsi, vous n'aurez plus à vous préoccuper de notre ravitaillement, mes pauvres enfants, ni de notre chauffage : nous serons au soleil! » Et ils pourraient parler russe tout leur saoul, manger russe (s'il y avait à manger à Nice!) et aller à la cathédrale russe. Et nous, nous étions libres de nous réjouir, même Papa, des victoires des Rouges, et célébrer la prise de Stalingrad que Diédouchka appelait toujours Tsaritsyne!

En fait, je n'avais pas parlé, j'avais bavardé sans malice avec Francine, une malade qui trouvait le moyen d'être anorexique en pleine disette. Le Docteur lui avait interdit de descendre à table pour les repas, pour ne pas lui donner l'occasion de chipoter sur le lard – acheté au marché noir – dans la soupe que tout le monde attendait, chaque soir, comme une friandise. Je devais lui monter des plateaux, et même déposer dans son placard des provisions qui me faisaient saliver : des pruneaux, des nonnettes dures comme du bois que nous envoyait une ancienne malade, et même, une fois, quelques figues sèches. Ce faisant, je bavardais, me forçais à bavarder pour ne pas chiper un morceau. Cette Francine prétendait me faire croire, à moi qui avais toujours faim et demeurais cependant un peu potelée, qu'elle ne pouvait manger, tant elle se sentait « gonflée ». Elle soutenait que, bientôt, elle ne pourrait plus enfiler ses robes. La penderie était ouverte sur les tussors et les crêpes fluides que j'enviais, moi qui me trouvais engoncée dans ma blouse d'infirmière épaissie d'une énorme poche. J'avais devisé chiffons, mode et coiffure, puis lecture en rangeant la pile de livres que Francine amassait à son chevet. Elle en recevait constamment, « pour sa thèse ». Nul ne pouvait ignorer qu'elle était professeur et ne parvenait pas plus à avancer sa thèse qu'à manger. Elle avait raconté au docteur Josse que je m'étais exclamée : « Tiens ! J'ai eu ça comme sujet au bac, en philo ! », et, devant son air de doute, assorti de questions sournoises, j'avais fièrement précisé que j'avais obtenu « mention Bien ». « Dans quel lycée avez-vous fait vos études ? » J'avais dû bredouiller : « En province », sans plus de précision, car si j'avais parlé de Fénelon, j'aurais sûrement eu droit aux : « Donc, vous devez connaître telle ou telle... » Je me rappelle m'être aperçue alors que j'avais de sérieux trous dans ma fausse biographie et qu'il était temps qu'Odile Soulez s'invente une vie. Je ne pouvais quand même pas prétendre avoir passé mes baccalauréats à Saigon, où les papiers du docteur

Edwige m'avaient fait naître, car j'ignorais tout de cette ville, en dehors d'une méchante photographie de mon livre de géographie, bien oubliée au demeurant, – mieux valait me persuader que, née à Saigon, j'en étais partie dès l'âge de trois ans, mes parents ayant été rapatriés en métropole. Des parents, je m'en imaginais de nouveaux chaque jour et m'embrouillais dans le déroulement de leurs états de service et maladies diverses, puisque je les avais préférés morts. Prénoms, profession du père, nom de jeune fille de la mère, lieux de naissance, date de leur double décès, lieu de leurs sépultures, – j'enjolivais sans cesse, mais en effaçant les détails précédents, tant et si bien que mes pauvres parents n'étaient pas vraiment au point. Alors, ma scolarité... Ce que j'avais oublié, c'est que les jeunes filles qui « faisaient infirmières » avaient certes toutes « leur brevet », mais bien rarement les deux bachots. L'amour-propre m'avait trahie.

Le docteur Josse, décidément, connaissait mieux que moi les infirmières. Et sa méfiance n'avait pas désarmé. Mais si je lui demandais à son tour de me montrer ses titres de docteur en médecine : de quelle université émaneraient-ils, et quel nom y figurerait ? Moi, *alias* Odile Soulez, infirmière diplômée, j'avais mes preuves. Pour faire bonne mesure, je produisis également quelques cours polycopiés à l'École d'Infirmières de la rue de Reuilly que Sœur Welten, sa directrice, m'avait remis en me recommandant avec modestie d'y jeter quand même un coup d'œil, car « une année de SPCN [1] et deux années de faculté de médecine ne vous ont peut-être pas tout appris sur notre métier, qui est plutôt un *service*. Ces cours ont moins d'importance que les mille

1. Sciences physiques, chimiques et naturelles.

et un coups de main que Jeanne Puech vous enseignera, et moins d'importance encore que l'amour des malades, qui est notre vrai sacerdoce... »

*

Avant de me remettre un faux diplôme, Sœur Welten avait exigé du Docteur de me voir et de me faire visiter son École, la maternité, le pavillon de chirurgie, celui de médecine, la maison de retraite, tout. Je devais aussi rencontrer la femme du Docteur, en convalescence chez les Diaconesses, qui devait me remettre mes nouveaux *Papieren.* Je pris toute seule le train pour Paris, sans carte d'identité. J'étais serrée dans le couloir quand le convoi ralentit, puis s'arrêta en rase campagne. Odeurs mêlées de tous ces corps debout, en sueur, emboîtés les uns dans les autres. En contrebas de la voie croissaient des roseaux entre des lignes de peupliers. L'arrêt se prolongea sans que nul ne parlât. On entendait seulement le claquement sec des vitres que l'on abaissait en lâchant une courroie, pour respirer un peu. Des têtes se penchaient, cherchant du regard la voie au loin, devant, ou des avions dans le ciel. La locomotive chuintait doucement. On se passa de mains en mains un gros bébé fille déjà déculottée qu'un voyageur tint à bout de bras dehors, par la fenêtre, pour qu'elle fasse pipi. Elle hoquetait de peur et de soulagement. Un vol compact d'étourneaux passa. Quelqu'un fit : « Chut ! Vous n'entendez pas une sirène d'alerte, au loin ? – Il faut descendre du train, on ne va pas se faire écrabouiller là, en pleins champs ! Vous savez bien qu'ils visent toujours les trains ! – Allez, on descend ! » Un vacarme de por-

tières, des chutes sur le ballast, des rires, des exclamations, – bientôt des chants en allemand : les wagons
Nur für Wehrmacht se vidaient de leurs *feldgrau*. Maintenant, le mâchefer crissait sous leurs bottes. Ils allaient
et venaient, scrutant le ciel, cassés en arrière, les poings
sur les hanches. L'un d'eux dévala le talus pour cueillir
des reines-des-prés et revint vers le train, hilare, son
bouquet à la main, cherchant parmi tous les visages aux
fenêtres des troisièmes une jolie fille à qui l'offrir. Une
onde de recul, dans le couloir bondé, me jeta en arrière
dans un compartiment d'où plusieurs mains me repous-
sèrent. « Ils ont crié de descendre ! J'ai entendu : *Raus* ! »
Une dame chuchota à sa fille de baisser la tête juste
comme les fleurs tenues à bout de bras par l'Allemand
lui frôlaient les cheveux. Une voix protesta : « Non ! on
ne descend pas avec les Fridolins ! », au grand soulagement de ceux qui ne voulaient pas abandonner dans le
train vide les lapins, les œufs ou le fromage cachés sous
les banquettes. Il n'y avait guère que moi qui n'avais
rien, ni bagage, ni paquet, ni papiers, ni nom, ni prénom.

Ma mère m'attendait à la gare du Nord où mon train
arriva avec près de deux heures de retard. Je plongeai
dans ses bras et sanglotai dans son cou. C'est dans le
métro, serrée contre moi, que Maman me dit à l'oreille
que Paul était à la prison du Cherche-Midi, et que sa
mère voulait me voir. Nous étions en retard, vite, vite...

Ce fut en quelque sorte la « Journée des Dames », la
conspiration de femmes « bénévolantes » qui désiraient
ma sauvegarde, prenaient en main ma vie pour assurer à
ma jeunesse toutes ses chances d'avenir. Je n'avais qu'à
me laisser faire, mes bonnes fées pourvoiraient à tout :

une nouvelle identité, un nouveau diplôme, un nouveau métier, elles s'occuperaient même de mes amours. Je n'avais qu'à me laisser faire, et, du coup, sans révolte et sans crainte, mais sans résolution, je flageolai.

Dans l'allée crissante de graviers de la clinique des Diaconesses, au bras de Maman qui m'expliquait que c'était là, dans un petit bureau de la Maternité où on nous laisserait tranquilles – tout était prévu –, que j'allais voir la mère de Paul, j'avançai, les jambes en coton, ravagée par le trac. Dans ta prison, dans ta cellule, mon amour, il faut croire à mon innocence, à mon ignorance absolue des combinaisons de nos mères : non, non, je n'ai pas voulu, toi absent, toi réduit au silence et à l'impuissance, en profiter pour m'introduire dans ta famille, m'imposer comme la fiancée clandestine, non, je n'ai pas voulu forcer le destin, peser sur ton indécise liberté de jeune homme hors les murs, trop jeune pour s'engager à rien, sauf à risquer sa vie pour la patrie, ô mon hésitant et taciturne bien-aimé qui répugnais tant aux promesses...

Sœur Welten surgit devant nous en haut du perron, la grosse croix huguenote d'argent tressautant sur sa poitrine, son impérial double menton de blonde enfoui dans le nœud de taffetas noir que les diaconesses portent au cou. De toute sa stature, voile au vent, elle bouchait la porte, incarnation de l'efficience et de la belle humeur alsacienne. « Voilà donc cette grande jeune fille ! Bien sûr, vous ne reconnaissez pas les lieux, et pourtant, c'est ici que vous êtes née, m'a dit votre chère maman ! Quand toutes ces épreuves seront surmontées, grâce à Dieu, peut-être viendrez-vous chez nous, vous aussi, pour avoir votre premier-né ! La maman de votre fiancé est déjà arrivée. Allons vite, et puis, ensuite, je vous attends dans mon bureau, au Pavillon des Roses ! » Déjà elle m'avait fiancée, mariée, accouchée avec l'accent de Mulhouse. Elle m'entraîna au fond d'un couloir, ouvrit la porte : « Voici *notre* Olga ! » annonça-t-elle, pour bien m'inclure dans la communauté protestante, à une femme tassée sur une chaise de rotin, à contre-jour. Maman hésitait sur le seuil, recula de trois pas ; il me fallut la retenir par le bras et la forcer à entrer.

Je vis s'avancer vers moi une dame au visage défait, dont seule l'élégance me frappa. Je ne sais plus comment elle était vêtue, fort simplement sans doute, mais elle avait un chapeau et elle tendit vers moi deux mains gantées de clair. J'étais clouée sur place par la conscience panique d'être mal fagotée. Mon corsage, vieux de trois ans, me bridait un peu la poitrine, bâillant entre les boutons, ma jupe était froissée et j'avais transpiré sous les bras, dans le train. Je me laissai embrasser comme l'héroïne dépassée d'un malentendu, éperdue de confusion et d'angoisse coupable. La mère de Paul se mit à parler de la plus belle voix du monde, un alto voilé aux chutes murmurées. Sans doute luttait-elle contre les larmes, paupières gonflées, lèvres tremblantes. Je n'écoutai pas ce qu'elle disait, mais seulement la mélodie, les intonations de Paul dans une voix de femme. Une litanie de noms qu'elle débitait par cœur, sans le secours d'aucun papier. C'étaient les noms des amis et connaissances de Paul qu'elle avait cru bon d'informer de son arrestation, par prudence. J'approuvai de la tête à chaque nom familier de la bande – comment pouvait-elle en savoir si long ? Ma propre mère en eût été bien

43

incapable – et le froid sournois de la jalousie me glaçait l'estomac à chaque nom de fille inconnu de moi. (Des surprises-parties où il allait, chez « des gens »... – Quels gens? – Des amis de vacances... des amis de mes parents... Tu ne connais pas... » Les esquives de Paul. Les silences de Paul. Les retards de Paul. Il réglait tout d'un sourire, le sourcil droit seul levé, une fossette moqueuse et tendre dans la joue du même côté. Toute question, avec lui, semblait incongrue, et l'insistance tournait à la confusion du questionneur.)

*

« Mon père m'a dit qu'ils avaient trouvé dans sa chambre du plastic et des grenades : ce n'est pas possible ! Il transportait parfois, mais les transporteurs n'entreposent jamais chez eux ! C'est défendu ! »

Il était rentré la veille au soir par le dernier métro, juste avant le couvre-feu. Sa mère l'attendait, d'autant plus inquiète qu'elle savait qu'il avait un examen le lendemain. Il était arrivé hors d'haleine, avec un sac à dos qu'elle ne connaissait pas, et s'était plaint du « sale lapin » qu'un « type » lui avait posé. Il avait demandé à sa mère de le réveiller à six heures, « car il avait quelque chose à faire avant d'aller à la Fac ». La Gestapo était là comme le réveil sonnait. Ils avaient embarqué son mari dès qu'il avait ouvert, en pyjama, et l'avaient poussée, elle, dans la salle de bains d'où elle avait crié : « Paul ! Paul ! Paulot ! » mais sans autre réponse qu'un vacarme de meubles renversés, et leurs voix en allemand, qu'elle ne comprenait pas. Plus tard, elle avait entendu la voix de Paul, un vrai hurlement venant de la cage d'escalier :

44

« Maman !... viens ! » Elle s'était ruée sur la porte, en vain. On avait vite étouffé le cri de Paul. Mais il ne cessait de résonner dans sa tête, au point que, seule devant le lavabo, elle avait fait couler l'eau très fort et avait imité ce cri, une fois, dix fois : « Maman !... reviens ! », non ! Elle avait fini par entendre : « Maman !... Préviens !... »

Dès qu'elle avait été libérée, elle avait couru à Janson-de-Sailly et demandé son neveu Michel, en taupe, pour une urgence familiale absolue. Dans l'arrière-boutique d'un coiffeur, ils avaient téléphoné toute la matinée le même message convenu à tous ceux que Michel connaissait, en commençant par Olga Stoliaroff dont « on » avait saisi tant de lettres à l'encre verte, et des poèmes. La fille du coiffeur était allée chercher à la poste des « petits bleus » pour prévenir par pneumatiques celles et ceux qui n'avaient pas le téléphone ou ne répondaient pas. Tous les amis de Paul qu'elle-même et surtout Michel connaissaient furent prévenus – mais c'était trop tard pour Jacques Grosjean, pour Denise Vandebeek et pour Jacques Vallin. Grosjean se fit piquer l'après-midi même en venant voir Paul ; à peine eut-il sonné qu'un homme posté sur le palier, derrière l'ascenseur, lui sauta dessus. Elle-même, quand elle était rentrée, il l'avait harponnée, quel coup au cœur ! Elle avait dit être allée chez sa mère, puis à l'église, n'importe quoi, plus plausible que le coiffeur en de telles circonstances. Dans l'appartement, son mari affalé dans un fauteuil – le pauvre avait été bien malmené, lui qui ne se doutait de rien : une dent cassée, tout ça. On l'avait confronté à Paul, très, très abîmé, méconnaissable, qui ne pouvait parler, qui faisait seulement

« non » de la tête, puis perdait connaissance. Voilà. Des jours et des nuits sans rien savoir. Alors, vous comprenez, apprendre qu'il est en prison, quel soulagement ! L'abbé qui l'a vu estime qu'il a « bien récupéré, que c'est un beau jeune homme vigoureux ».

« Je dois aller lui apporter du linge. Écrivez-lui, Olga, écrivez-lui, ici, maintenant, quelques lignes. Ensuite, retournez là-bas, ma petite fille, n'en bougez plus, bien camouflée en infirmière, je vous ferai parvenir des nouvelles. »

*

Comment ai-je pu croire, dans la petite vie molle que je mène depuis ma retraite, le passé à jamais figé par l'engourdissement d'une mémoire apathique ? Tout au contraire, le voici qui se libère par brûlantes bouffées. Elles attaquent l'estomac comme un acide et font picoter les yeux. S'il est un sens à dégager du souvenir, à présent trop net, de cette entrevue à la Maternité des Diaconesses avec la mère de Paul, c'est bien que l'état d'amoureuse est le plus bête qui soit. Cinquante années plus tard, cette Olga de vingt ans m'apparaît monstrueuse. Elle avait bel et bien vu et entendu la mère de Paul, puisque aujourd'hui la vieille femme que je suis parvient sans effort à se rappeler ses traits affouillés par l'insomnie, l'arête du nez si fine, et sa pâleur opaque, le sang n'affleurant qu'au battement précipité des vaisseaux du cou. Pour me rappeler si bien le « paquet vasculo-nerveux » qui palpite, n'avais-je pas les yeux fixés à hauteur de son cou, de peur d'affronter en plein le regard de la mère de mon presque amant ? Hélas ! La

46

nigaude éprise que j'étais, empêtrée dans l'angoisse de sa propre gaucherie, ne ressentait que l'élégance, involontaire sûrement, de ce personnage qui s'interposait entre Paul et elle, et ne percevait quasiment pas la femme encore jeune et belle, tendue d'anxiété lucide et de besoin d'agir. Dans sa voix – les femmes au timbre grave présentent souvent ces vaisseaux gonflés à la base du cou – je n'entendais que les inflexions de Paul. Pendant tout son récit, l'esprit rendu obtus par l'état amoureux, je suivais sans comprendre le phrasé de leur double voix, et n'en retins qu'une chose : elle m'avait appelée « ma petite fille ». A part ces trois mots, je n'avais rien entendu.

Et pourtant, j'avais tout entendu, puisque je me le rappelle aujourd'hui mot pour mot. Mais sans réagir. A preuve, Maman s'était jetée en avant, volubile, pour remercier : « Vous avez sauvé notre fille, etc. » C'était vrai, et j'aurais dû surenchérir, mais quelque chose en moi ne désirait pas savoir de quel danger elle m'avait préservée, tout comme je ne voulais pas comprendre ce qu'elle avait dit de Paul en s'y reprenant à deux fois, avec un long blanc d'hésitation : « très... très abîmé... » Des jours, des nuits, des semaines, des mois durant, ces mots que j'avais feint de n'avoir pas compris allaient occuper ma mémoire sans que je pusse envisager la réalité qu'ils traduisaient. Paul était un vainqueur, il portait haut la tête sur son grand cou, il avait le dos très droit, il ne pouvait s'affaisser sans proférer un mot, il ne pouvait être ou même avoir été « très... très abîmé » ! Mais le « ma petite fille » dont m'avait gratifiée sa mère, c'était comme l'aboutissement de mon plus cher passé et une promesse pour l'avenir, dans l'incertitude jamais apaisée où je vivais.

L'amour empêche-t-il d'aimer ? Je me le rappelle avec honte : j'étais alors incapable de penser à lui, car je ne pensais qu'à nous, obnubilée que j'étais par la nature du lien qui nous unissait, affamée de preuves et de promesses dont Paul n'était pas prodigue, mais que je n'aurais jamais osé quémander. « Il doit y avoir quelque chose entre eux », disait-on à l'époque d'un homme et d'une femme dont on soupçonnait l'intimité amoureuse. La « chose » entre nous, c'était aussi bien le vertige des étreintes que la ferveur patriotique partagée, aussi bien les séances de cinéma-caresses que l'« écurie » commune pour préparer nos examens, aussi bien Beethoven indéfiniment écouté joue contre joue au concert où nous claquions tout notre argent que nos relais bien rodés dans le transport d'armes conçu et conduit comme un jeu scout. Cette « chose entre nous », entre lui et moi, cette chose « *nous* », immense et multiforme, je m'y étais investie corps et âme. Je m'y étais oubliée. Ce n'était en rien l'égoïsme qui m'empêchait de concevoir Paul dans l'extrême souffrance, aux limites de la mort, – c'était la perpétuelle indécision où j'étais de savoir que faire pour assurer « notre » durée : fallait-il faire enfin l'amour « complètement », et risquer une grossesse que, sans me l'avouer, je savais désirer autant qu'il la redoutait ? Ou bien continuer nos acrobaties sans pénétration, qui nous exaltaient sans nous apaiser et, peu à peu, en venaient à l'exaspérer, lui ? Fallait-il continuer à ne nous voir qu'à la Fac, au café et surtout dans nos « planques », en évitant systématiquement nos appartements respectifs et surtout nos parents, alors que cette habitude, dite « de clandestinité », limitait le champ de notre mutuelle reconnaissance ? Ou bien

48

fallait-il risquer de le sentir se raidir si, avant de le guider vers ma chambre, je lui demandais de « dire quand même bonjour à Maman » ? J'hésitais sans fin, récusant toute initiative de peur qu'il se crût « piégé », et j'interprétais sans fin tout événement fortuit pour déterminer s'il « nous » était contraire ou favorable. D'où ce réflexe horrible comme la passion : Paul en prison, était-ce bon ou mauvais pour notre amour ?

*

Pour me permettre d'écrire à Paul une manière de « lettre ouverte » (« Vous imaginez bien qu'elle sera lue avant de lui parvenir... »), nous avons vainement fouillé nos sacs et remué les registres et livres de cantiques posés sur le bureau, à la recherche d'une feuille de papier sans en-tête. Je suis sortie en demander et me suis heurtée dans le couloir à une procession de jeunes stagiaires bleuettes, manches courtes et petits calots, tenant chacune un nouveau-né empaqueté. Elles glissaient sur leurs silencieux chaussons blancs, vite, vite, « c'est la pesée... ». Avec un linge, elles essuyaient les minuscules mentons tremblotants et il se dégageait d'elles, comme des bébés, l'odeur aigrelette du lait de femme régurgité, odeur de pomme un peu surie, et cependant douceâtre, la plus vivante de toutes les odeurs qu'on peut humer dans un hôpital. Repus, les nouveau-nés ne criaient pas, mais l'un d'eux émettait une sorte de feulement doux, comme souvent les pigeons ramiers s'affairant dans leur nid. J'avais été ici, dans cette maison même, dans ce couloir ou à l'étage au-dessus, l'un de ces petits paquets tièdes, différente

49

seulement par mon nom étranger au poignet : Olga Stoliaroff – et voici que ce n'était plus mon nom ! Un peu comme si je venais mourir là où j'étais née, afin de renaître une autre – une autre qui m'était encore étrangère, avec son nom français.

« Puis-je signer *Olga* ? – Peu importe, ne signe pas. De toute façon, il reconnaîtra ton écriture ! » Les deux mères s'interrogèrent : peut-être, à la prison, ne distribuait-on que les lettres portant nom et adresse de l'expéditeur ? Alors, comme la Gestapo connaissait mes nom et adresse, mais était repartie de chez nous en claquant des talons, je reçus la permission de signer ma missive, l'essentiel étant de ne pas être là s'« ils » revenaient m'y chercher. Je signerais *Olga*. Paul adorait mon prénom. Que dirait-il de cette Odile que j'allais devenir ? C'était comme si je le quittais... Désormais, même si les lettes signées *Olga* continuaient à lui parvenir, il ne saurait rien de moi, ni où je vivais, ni même comment je m'appelais. Je ne pouvais davantage faire allusion à ce qu'il venait de vivre, lui. Que lui écrire, donc, sinon que je l'aimais ? Au mur, devant moi, des cartes postales en couleur, soigneusement encadrées, symbolisaient l'élan vers le beau de la diaconesse qui d'ordinaire occupait ce bureau : un edelweiss laineux, des gentianes trop bleues, des colchiques encore emperlées de gouttelettes sur fond de ciel rougeoyant. « *Chaque fleur s'évapore...* »

Olga ou Odile, peu importe ! Que j'ai donc de mal, aujourd'hui, à concevoir que j'aie pu être cette fille qui écrivit à son ami de vingt ans, encore meurtri de ses tortures, enfermé avec cinq autres dans la cellule crasseuse d'une prison : « *Un cœur tendre qui hait le néant vaste et noir / Du passé lumineux recueille tout vestige / Le soleil s'est noyé dans son sang qui se fige / Ton souvenir en moi luit comme un ostensoir.* » Pourtant, la vieille femme que je suis devenue sait bien, en témoin privilégié, qu'il ne fallait voir là ni affectation ni pédantisme : nous étions ainsi, pendant la guerre, dévoreurs de poésie – il ne s'en est jamais tant vendu – que nous ne nous contentions pas de lire ; nous l'apprenions par cœur, nous la récitions à haute voix, à plusieurs, en répons, même nous, les « carabins », presque autant que les « khâgneux », et nous citions Rimbaud, Laforgue, Tristan Derême ou Baudelaire à tout propos, comme nous fredonnions Trenet. Hélas, les codétenus de Paul n'avaient plus vingt ans et, m'a-t-il raconté plus tard avec un sourire amer : « Ça les a fait marrer, les gars... Qu'est-ce qu'ils m'ont fait chier avec ça ! Ils m'ont surnommé " l'Ostensoir ", avec les allusions que tu peux imaginer... Je ne pouvais pas pisser sans que revienne sur le tapis l'ostensoir ! Baudelaire à la sauce cochon... Pour une trouvaille, c'était une trouvaille ! »

Comme ça m'a fait mal, comme ça me fait encore mal, tant d'années, tant d'années après... Mais quand j'ai écrit ces quatre vers, j'entendais le récitatif de sa voix, il aimait tant, nous aimions tant les mots-musique, le phrasé, le français, le « haut français », comme on dit le *Hochdeutsch*, ce haut français souple et clair, Racine, oh ! comme nous avons aimé Racine en ces années noires, et Nerval et Mallarmé ! A quoi bon tenter d'expliquer cela à mes petits-neveux, aujourd'hui ? A quoi bon tenter d'expliquer à ceux qui passent leurs nuits dehors mais enfermés dans leurs « boîtes », secoués à deux temps, toujours à deux temps, par ce vacarme qu'ils appellent musique, par les lueurs et les spasmes à deux temps, répétitifs, comme les enfants autistes qui se balancent, – oui, à quoi bon leur expliquer ce qu'étaient le couvre-feu à dix heures du soir, le bouclage chacun chez soi, les coupures d'électricité, les sourds grondements des avions, haut dans le ciel, l'obscurité, la communion par la pensée, les poèmes que l'on se récitait... ?

Signer *Olga*, plier en quatre les quatre vers de Baudelaire et quelques mots d'amour, remettre le tout à la mère du bien-aimé qui les fourre dans son sac et en claque le fermoir, – je ne me rappelle plus rien de ce qui advint ensuite. J'ai dû demeurer quelques jours chez les Diaconesses à tourner dans tous les services, car je me souviens d'avoir partagé la chambre d'une élève infirmière qui me prêtait une chemise de nuit. Je me souviens aussi de Maman, sans doute revenue me voir avec une valise de linge et de livres, qui s'extasiait sur tout dans cette « maison bénie de Dieu ». Pour la première fois elle évoqua devant moi un hôpital militaire de cauchemar où elle avait servi comme infirmière auxiliaire en 1918, à vider des bassins, jeter des pansements souillés, frotter par terre, puis se laver les mains, et recommencer, dans les cris et les râles, sans guère le temps de parler aux malades, sans avoir les mains assez propres pour leur caresser le front comme on voit dans les films... Maman aurait tant voulu que je puisse me cacher « aux Diaconesses », comme elle disait, dans ce havre de paix et de verdure en plein Paris où j'étais née un si beau jour... Maman trouvait les élèves infirmières « étonnamment charmantes », ce qu'il fallait traduire : de très bonnes familles et très bien élevées, bien plus « distinguées », en somme, que mes camarades de

Faculté avec leur langage de salle de garde. Pourtant, Maman était « pour les études des femmes, à cent pour cent ». Mais les petits carrés fleuris du jardin – chacune des sœurs avait le sien – l'attendrissaient, comme l'habitude qu'elles avaient, vieilles et jeunes, de chanter des cantiques à la tombée du jour au pied des escaliers. Les malades étaient libres de demander que leur porte fût ouverte ou fermée, et les élèves infirmières finissaient leur service en passant de chambre en chambre : « Voulez-vous les chants, monsieur ? Voulez-vous les chants, madame ? » Puis montait la cantate très pure de ces femmes seules regroupées, leurs capes bleu marine à bretelles rejetées dans le dos, leurs visages levés vers la verrière, là-haut, vers les étages, les malades invisibles, vers Dieu. « Mais, tu sais, précisait Maman, pour la dixième fois, elles peuvent se marier si elles veulent ! » Je savais bien qu'elles n'étaient pas des religieuses catholiques et n'avaient pas fait vœu de célibat, mais, pour se marier, il ne suffit pas de le vouloir. Cela aussi, je le savais.

*

Si je suis restée quelques jours à Reuilly, c'est aussi, je crois, parce que la femme du Docteur – celle qu'à la Forte-Haie on évoquait toujours en des termes émus : « Le docteur Edwige, la pauvre ! » – ne pouvait me recevoir. A force de l'entendre plaindre d'un certain air (« Elle est bien malade, la pauvre... »), je m'attendais probablement à la découvrir délirante ou prostrée, comme si une psychiatre épouse de psychiatre ne pouvait partir que de la tête ! Or, à peine fus-je entrée dans sa chambre du pavillon chirurgical, que joua l'intuition médicale qui allait tant me servir tout au long de ma vie. Mon diagnostic était fait. Trop jeune pour apprécier combien cette femme avait dû être éclatante – beaux gros yeux verts, belle grosse bouche rouge, beau gros chignon strié de gris, belle grosse poitrine –, j'étais assez douée pour percevoir la mort prochaine sous la peau cireuse. Du reste, ses seins volumineux étaient dissymétriques : d'un côté, tout épais qu'il fût, un pansement ne parvenait pas à dissimuler l'ablation totale. En ce temps-là, on ne lésinait pas sur l'exérèse.

Je crus alors que le docteur Edwige savait à quoi s'en tenir et qu'elle trompait sa propre condamnation en s'occupant des autres. Plus tard, quand elle revint à Boismesnil, je découvris que, comme il arrive parfois aux médecins, elle s'était forgée une symptomatologie qui lui était toujours favorable, et y ajoutait une « mobilisation de la psychè » dont elle vantait à tous l'efficacité exemplaire. Toujours est-il qu'à peine me fus-je approchée de son lit, elle me prit en main : de sous son oreiller, elle sortit une grosse enveloppe et aligna sur le drap, comme si elle faisait une réussite, tout le grand jeu – carte d'identité, carte d'alimentation, feuilles de tickets des quatre derniers mois, dûment découpées comme l'étaient celles des gens qui savaient que le DK d'avril donnait droit à 50 g de confiture à partir du 30 juin, et que les BE de viande étaient périmés. Pour finir, elle déposa les exemplaires restants d'une série de clichés « Photomaton » surexposés sur lesquels mes pupilles, comme de petites boules noires, nageaient dans des iris translucides, tandis que mes pommettes de Kalmouke prenaient toute la lumière. Mon père, à qui j'avais mon-

tré pour rire ces photos semi-ratées, s'en était emparé :
« Une vraie nihiliste version Netchaïev : *" A toute
vapeur, à travers la boue, détruisez le plus possible, etc... "*
Il faut que ton grand-père voie ça ! » Et voilà que la
« catéchiste révolutionnaire » illustrait la carte d'identité
de la supposée très sage SOULEZ, *Odile*, Geneviève, Marinette (soulignez le prénom usuel) que j'étais devenue.
Mme Edwige me recommanda d'en patiner légèrement
l'extérieur en la frottant un peu sur la semelle de mon
soulier, mais sans la rayer, attention, et de passer les
coins sous mes ongles quand j'aurais les main sales,
pour les user. Il s'agissait de contrefaire les traces laissées
jour après jour par le passé d'une certaine Odile, qui
n'en avait pas. Je devais, m'intimait-on, m'apprendre
par cœur. On me fit réciter. Je ne savais pas même s'il
me fallait prononcer « Soulé » ou bien « Soulèze ». « A
vous de voir, de chercher si c'est breton ou savoyard, et
d'apprendre aux autres à le bien prononcer. On est toujours jaloux de son nom, quel qu'il soit. Faites-vous-en
une nature. On l'a trouvé dans un annuaire, il
commence par la même initiale que votre patronyme.
C'est ainsi que l'on procède quand on doit opérer dans
la hâte – c'est le cas –, qu'on n'a pas le temps d'établir
une *vraie fausse carte* et qu'il faut se rabattre sur une
fausse vraie carte. »

J'eus droit à un bref résumé : l'idéal était la *vraie
fausse carte*, qui reproduisait exactement, à la photographie près, la carte d'identité réellement délivrée à
telle date, sous tel numéro, par telle mairie, à une personne toujours vivante. Les mairies complices commu-
niquaient l'état civil d'une personne absente – par
exemple d'un prisonnier de guerre ou d'un exilé, plus

rarement d'un volontaire qui acceptait de « prêter » son identité, puis déposait une déclaration de perte et se faisait allouer de nouveaux papiers. Celui qui recevait une *vraie fausse carte* n'avait rien à craindre d'un contrôle de police même un peu poussé : une vérification rapide auprès de la mairie qui avait délivré la carte en authentifiait les renseignements, et son heureux propriétaire était libre, libre de continuer à usurper l'identité d'un autre sans se faire prendre. Mais les *vraies fausses cartes* étaient rares et réservées aux plus recherchés. Dans la hâte, donc – c'était mon cas –, il fallait établir une *fausse vraie carte*. Avant l'entrée des Allemands en zone Sud, on pensait encore pouvoir bricoler des papiers dans quelque arrière-boutique. Désormais, avec ces *fausses fausses cartes*, on tombait dès le premier contrôle, même des seuls gendarmes, pourtant pas méchants. Les officines sérieuses travaillant pour la Résistance ne fabriquaient donc plus les cartes, mais s'arrangeaient pour en faire dérober d'authentiques, vierges de toute identité, au ministère de l'Intérieur, dans les préfectures et les mairies. Ma carte était donc « vraie » et portait une identité « fausse », inventée pour les besoins de la cause. « On » avait respecté mes initiales, mais, attention, « on » m'avait fait naître à Saigon, Cochinchine, si loin qu'en temps de guerre, aucune vérification n'était possible. En revanche, sur la suggestion pleine de bon sens de Maman, « on » m'avait domiciliée à Saintes, à l'adresse même de ma grand-mère maternelle : ainsi, en cas de questionnement, je saurais décrire la ville, la rue, la maison de la veuve Puyraveau. Je devenais en quelque sorte une petite sœur de ma mère. Mémé serait prévenue pour le cas où...

A propos, ajouta le docteur Edwige, un pasteur de Saintes était prêt à m'établir un faux certificat de baptême et à offrir un Nouveau Testament à Odile Soulez avec une date de confirmation plausible. « Mais pourquoi ? Personne ne se balade avec son certificat de baptême ! Nous ne sommes plus sous Louis XIV ! Est-ce que ça existe seulement, les certificats de baptême protestants ? » J'aimais bien les diaconesses, mais, quand même, on n'allait pas m'embrigader malgré moi ! J'étais goguenarde, un brin provocatrice. « De nos jours, un certificat de baptême peut sauver une vie, mademoiselle... » Sévère, elle me fixait en écarquillant ses yeux verts un peu globuleux, *Athena glaucopis* en colère. Après un long silence réprobateur, constatant que je ne comprenais pas, elle murmura, presque inaudible :

« Et les Juifs ? »

Quoi, les Juifs ? Je n'y avais pas pensé. Je ne savais rien de leur religion, seulement les histoires de l'Ancien Testament. Mais, vraiment, un faux certificat de baptême chrétien pouvait-il leur sauver la vie, même s'ils ne connaissaient rien à la foi chrétienne et en réprouvaient les fondements ?

« Moi, je peux réciter le Notre-Père, le Symbole des Apôtres, la Confession des péchés, chanter quelque huit ou dix psaumes et cantiques : comme preuve, cela vaut mieux qu'un faux certificat, non ?

– Tant mieux pour vous, mademoiselle, vous avez de la chance ! »

Dans cette pieuse maison huguenote, il me semblait que ma réponse méritait mieux que cette ironie distante. J'attendais au moins la chaleur d'une complicité. Si j'avais été orthodoxe, comme l'avait tant souhaité ma grand-mère paternelle, au lieu d'être protestante, comme l'avait tant réclamé ma grand-mère maternelle, j'aurais admis sa réserve, – mais entre « parpaillotes » ! Je ne compris qu'une chose, c'est que les papiers importaient plus que la foi, comme ils importaient plus qu'une vraie biographie.

Cependant, la sévérité de Mme Edwige s'accrut encore. Elle entreprit de m'expliquer que ma *fausse vraie carte* d'identité, c'était parfait pour les gendarmes ou les *Sicherheits-Dienst*, les SD, la police de l'armée allemande qui effectuait les contrôles dans les trains, le métro, aux barrages routiers, – mais il ne fallait pas songer berner la Gestapo avec ça si elle me recherchait nommément. Et tout portait à croire qu'il pourrait bien en être ainsi. Certes, la Gestapo n'avait rien trouvé à mon domicile, mais sans doute avait-on déjà demandé plusieurs fois à la concierge de prévenir si je réapparaissais. « Votre affaire est très sérieuse. Songez que quatre de vos amis ont été arrêtés et cuisinés. Il faut partir de l'hypothèse qu'au moins l'un d'eux, sinon plus, aura parlé ! »

Était-ce ma posture saugrenue – assise de travers sur la chaise du visiteur au chevet de la malade, pliée en deux, un genou haut levé posé à l'équerre sur l'autre, je contemplais, tête baissée, le sang aux joues, la semelle de bois de ma sandale contre laquelle j'avais entrepris de frotter doucement mon « identité » pour lui conférer quelque patine –, mais les paroles de Mme Edwige bouillonnaient à l'orée de ma conscience sans y pénétrer, comme l'eau à la porte d'une écluse fermée. Je sentais rebondir contre la paroi le mot « cuisinés » dont je ne sais si je refusais davantage la vulgarité ou la signification horrible, voire leur combinaison. Et pourquoi

« quatre de vos amis » ? Mon esprit, bloqué, ne parvenait pas à compter jusqu'à quatre. Denise, chère Denise, mon amie de cœur à peau blanche et taches de son, si tendre et appliquée, la bonne élève depuis toujours, avec sa raie au milieu, permanente à la Maison des Lettres où elle avait été arrêtée et peut-être « cuisinée » ; Jacques Vallin, dit « le vilain Vallin » par antiphrase, qui voulait « les Fritz dehors et les soviets partout ! », mais projetait aussi de s'établir gynécologue, « pas pour les pattes en l'air, mais, mon vieux, quelques bonnes métrites, ça doit rapporter autant qu'une petite ferme ! », car il tirait le diable par la queue, avec un bel air famélique, tout en rêvant d'un avenir meilleur, – et de deux ! Jacques Grosjean, le chimiste, le copain d'enfance de Paul, chopé sur le palier, à la porte de Paul, pauvre doux Jacques, Grosjean comme devant, comme nous disions parce que personne ne sait au juste ce que cela veut dire, – et de trois ! Pourquoi cette femme dit-elle « quatre de vos amis » ? Gérard, le relais-téléphone ? Il ne sait rien, rien de rien, en tout cas pas nos noms.

Contre, j'étais contre tout ce que disait cette femme dominatrice et protectrice, avec ses lèvres charnues couleur framboise, juteuses, qui n'allaient pas à son âge, vieille amazone au sein mutilé, impératrice byzantine grisonnante qui présidait à ma nouvelle naissance en l'absence de ma mère...

Je caressais ma semelle de soulier avec ma carte d'identité, front baissé, en mesure, comme on frôle une harpe pour en tirer des accords, en mesure.

« Vous comprenez ce que je vous dis, mademoiselle ! J'insiste ! Vos supérieurs sont très inquiets. Ils m'ont fait savoir qu'ils vous donnent ordre de disparaître et de vous tenir coite sous votre faux nom, sans vous manifester, sans chercher à contacter quiconque... »

Quiconque, c'était Paul ? Le quatrième « cuisiné » qui pourrait avoir parlé, c'était Paul ? Je me redressai, furieuse : « Il n'a sûrement pas parlé ! Il ne parlera jamais ! C'est un héros ! » J'étais moi-même stupéfaite du mot que je venais de clamer comme un manifeste. Mme Edwige sourit, ses lèvres renflées s'ouvrant sur de fortes dents, loin, jusqu'aux prémolaires.

« Bon, admettons que c'est un héros ! Mais, Odile, puisque vous voilà Odile, mon mari aussi est un héros ! Un vrai héros ! Et il n'est pas question que vous le mettiez en danger par quelque imprudence que ce soit ! C'est un héros et un homme rare... », ajouta-t-elle d'un air inspiré.

III

« *Bien qu'ignorant si c'est vous, nous aimerions savoir si vous avez séjourné dans notre commune durant la dernière guerre...* »

J'ai pris la route moins d'une heure après avoir lu cette lettre. J'ai laissé un mot pour la femme de ménage et branché le répondeur. C'est simple, la fuite, quand on est vieille et qu'on vit seule, sans chien ni chat. Car c'est bien de fuite qu'il s'est agi. Je ne me rendais pas à un de ces banquets d'Anciens Combattants où on prend un terrible coup de vieux à revoir les petits soldats mal nourris, mal fringués de la campagne d'Alsace déguisés en gros messieurs prospères, leur épilogue inscrit sur leur front dégarni, quand ils ne traînent pas des séquelles d'hémiplégie ou, pire, ne vous « remettent » pas du tout (pourtant, il n'y avait pas tant de femmes au service de santé à les suivre dans la boue et la neige.) Non, j'allais déterrer la partie la plus secrète de mon passé, celle que je n'ai jamais revécue avec personne, la courte vie d'Odile Soulez.

Sur les chemins de mon enfance, mille fois je suis repassée déjà. Après des concours réussis, un mariage

61

raté, un divorce sans traces, des années d'errance, des missions impossibles, des nuits militantes à voter d'inutiles motions dans des nuages de fumée de tabac, j'étais revenue, me repentant de ma si longue révolte, accompagner mes parents vers la mort. Avec eux, auprès d'eux, j'ai revécu cette enfance qui a pris de nouvelles couleurs et un nouveau relief d'être racontée par eux. J'ai même enfin appris le russe, parce que mon père y revenait en vieillissant. Je ne voulais pas lui avouer que les contes qu'il m'avait ressassés « avec le ton », quand j'étais petite (*Baba Yaga, La Maison aux pattes de poule, Le Poisson d'or, Les Trois Sœurs...*), si je pouvais en réciter des passages entiers par cœur, je n'y comprenais pas grand-chose. Pour Maman, Nicolas et moi avons racheté la maison de Saintes. Mieux, nous avons fait abattre les balustres et défoncer au marteau-piqueur une vilaine terrasse rapportée. Cela m'a coûté gros, mais je voulais retrouver la boucle de l'allée du jardin. J'ai planté des yuccas et un petit bananier tout vert, un peu bêta, comme celui dont Mémé était si fière. (« Ici, mes chéris, c'est le midi-moins-le-quart, je peux avoir un palmier dans ma pelouse et la plus belle lumière de France, bleue et or ! ») Maman a pleuré de joie sous la tonnelle, et moi devant l'Océan, sur mes longues plages d'enfance. A côté des roses trémières, sur le mur du fond, un escargot – ici, on dit « une cagouille » – remonte tous les soirs se cacher sous une tuile, laissant derrière lui une traînée de bave qui s'irise au soleil, puis il redescend le lendemain vers la plate-bande, pour reprendre en parallèle sa trace vers le haut : ainsi ai-je parcouru mon enfance et marqué mon territoire, patiemment.

Pour mieux situer le ciron de la fable que je fus à ma naissance, j'ai lu ce qui m'a précédée : la guerre russo-japonaise et les troubles qui ont suivi, le pope Gapone, le Dimanche rouge dans la neige, *Potemkine* dans le flamboiement de l'été. Et Serguéï Ioulévitch, comte de Witte, qui fit la fortune de l'ingénieur Stoliaroff, mon grand-père, dans les chemins de fer – et qui ruina mon grand-père Puyraveau, de Saintes, petit rentier acheteur d'emprunts russes. Les paysans incendiant en Russie des manoirs, tel celui dont la photographie agrandie m'était échue comme un héritage fictif. L'affaire Dreyfus qui avait tant ému Mémé, avec le clan protestant, en faveur du pauvre capitaine, qu'elle en avait accouché prématurément de ma mère. L'essor, encore, des chemins de fer, non plus du Transsibérien du grand-père Stoliaroff, mais du « Petit Train des Huîtres », au long de la Seudre, et d'autres voies secondaires des « molles Charentes » (toujours au pluriel, alors que, s'il y a bien deux Sèvres, il n'y a qu'une Charente, et lente !) qui avaient valu à Grand-Papa son honnête aisance... Histoires locales du défrichage de la forêt biélorusse, ou de la fixation des dunes littorales de l'océan Atlantique par des pins, – tout cela pour aboutir à la Grande Guerre dont ma génération, celle des enfants de la paix précaire nés après le traité de Versailles, ne voulait pas entendre parler. C'est pourtant la ferveur patriotique qui avait réuni mes parents dans le tourbillon de soulagement de l'Armistice : on dansait, on dansait... Le temps de finir ses études avec ses décorations au revers et des « sessions spéciales » d'une spéciale indulgence, et mon père, encore en uniforme, sortit du grand temple de Saintes avec ma mère au bras, sous une haie d'épées. Lénine, ce

« défaitiste-terroriste », comme on l'appelait à la maison, avait volé la Russie bien-aimée de mes grands-parents. Ils ne s'en remirent jamais. Ils n'avaient plus de patrie, ni au sens propre ni au sens figuré, hormis un passé mythique qui me trouvait sceptique quand je daignais en écouter les longs récits. Je détestais que ma grand-mère s'entêtât, les soirs où elle venait coucher chez nous parce que les parents allaient au théâtre, à « déborder » mon lit pour le refaire à la russe : j'aimais être bordée bien serrée, « à la française », et ne me privais pas de le lui dire : « Papa le veut ! » Des bancs du lycée jusqu'au front, mon père avait mérité sa patrie, la France, qu'il chérissait d'un amour de néophyte. N'empêche qu'il m'avait appelée Olga, comme sa sœur disparue. En contemplant les photographies apprêtées de cette Olga Ivanovna qui ne me ressemblait en rien, ou en dévorant tant de livres, je m'évertuais à chercher en vain le sens de l'Histoire à travers ma préhistoire.

*

Des témoins de mon enfance à qui je puisse dire : « Tu te rappelles ? », il ne m'en reste plus guère. Mon frère Nicolas – mais c'est moi, son aînée de huit ans, qui suis son témoin, et non l'inverse. Il y a bien les cousines de Chaniers et le Roger, installé à Pons, que je vois chaque année. Une ou deux camarades de classe à demi perdues de vue. Le fidèle Boris avec qui Babouchka me forçait à jouer, toujours tiré à quatre épingles, toujours un petit bouquet à la main. Le témoin de mon enfance le plus inattendu, mais que je suis amenée à voir le plus souvent, c'est Raymonde, la fille de la concierge de la rue Madame où nous avons habité si longtemps. Cette Raymonde, un peu plus âgée que moi – elle fréquentait l'école quand je n'y allais pas encore – m'apprenait à jouer à la marelle sur le trottoir. A cette époque, en 27 ou 28, des émigrés russes (deuxième vague, passeports Nansen) montaient nos quatre étages en rangs serrés pour voir mon père, ce cher Aleksander Ivanovitch qui avait si bien réussi. « Et v'la des Rouskofs ! » criait Raymonde. Je détournais la tête ou allais me cacher sous le porche voisin. Mais lorsque ma Babouchka débouchait à son tour de la rue de Fleurus et me surprenait dans la rue avec cette gamine en sarrau arborant – comble de la vulgarité ! – de fines boucles en or qui traversaient ses lobes d'oreilles (je trouvais extraordinaire que cela ne saignât point !), du bout de son parapluie elle me poussait sous la porte cochère : « Rentre, Olga ! Monte ! Les petites filles ne traînent pas dans la rue ! Et plus vite que ça ! » Raymonde, qui continuait à jouer dehors, la veinarde, criait à tue-tête : « *Bistro ! Bistro !*[1] » pour se moquer de ma grand-mère, laquelle, pourtant, ne s'adressait jamais à moi qu'en français. Comme j'admirais Raymonde à qui ma Babouchka n'en imposait pas, même lorsqu'elle sortait son face-à-main ! J'étais fascinée par ses épais cheveux coiffés « au bol », ses oreilles percées, et même cette tache au menton dont elle m'avait dit avec fierté : « C'est une envie, une envie qu'elle a eue, ma mère, quand j'étais dans sa grossesse ! » Son père livrait chez les limonadiers des blocs de glace posés sur des sacs de jute dans un grand char plat tiré par un cheval fessu. Parfois, il arrêtait son équipage devant la maison et posait Raymonde (« Allez, la môme ! et tiens-

1. Vite, vite.

toi droite!») sur le dos plantureux du canasson – peut-être pour deux minutes, peut-être même cela ne s'est-il produit qu'une fois. Mais je sentais alors combien je n'étais rien, comparée à Raymonde. Ma vie me semblait faite d'interdictions et surtout d'obligations qu'elle ne connaissait pas: ainsi, elle portait des culottes à élastiques (souvent distendus, il est vrai) qu'elle relevait d'un geste prompt des deux mains, tandis que je devais me tortiller longuement, après chaque pipi, pour accrocher l'arrière de ma culotte à pan aux boutons de corozo de mon petit corset. Elle ne connaissait pas les longues guêtres blanches à faire boutonner avec un crochet tout du long d'une jambe, puis de l'autre, par la bonne impatiente («Ne gigotez pas comme ça, Olga, ou ça va vous pincer!»). Sans compter les boutons de nacre curieusement placés dans le dos des tabliers en organdi destinés à «protéger ma robe», et qui nécessitaient de pénibles gesticulations plusieurs fois par jour, tandis que Raymonde, elle, conservait son sarrau du matin au soir. Cette Raymonde d'en bas, Raymonde de la loge, je suppliais ma mère de l'inviter à goûter et à jouer avec moi. Il paraît que le jour où ce fut organisé (cent fois j'ai entendu raconter cette histoire), Maman, qui prêtait l'oreille à nos ébats tranquilles, surprit cet échange: «Madame, il faut fesser votre poupée parce qu'elle m'a dit merde, et on dit pas merde à une dame! – Non, on dit: *Zdrastvuytié!*, susurrai-je. – Oh non, madame, c'est très mal aussi, c'est beaucoup pire que merde!»

C'est quand j'ai déménagé, voici cinq ans, que j'ai découvert, derrière la caisse de la supérette du coin de la rue, une grosse femme aux cheveux teints qui avait une «envie» au menton et des boucles d'oreilles de fillette quasiment incrustées dans ses lobes fripés. Comme elle pivotait majestueusement sur son siège pour chercher, sans se presser, un sac en plastique, je me pris à crier : « *Bistro ! Bistro !* Raymonde ! » Et elle, placide, soixante ans après : « Tiens, ça par exemple ! Voilà la Rouskof ! » Précieuse mémoire de Raymonde qui se rappelle toutes les toilettes que portait Maman, mais bouleversante aussi : en été, sa mère l'envoyait espionner mon père qui retrouvait au Luxembourg une jeune femme à qui il baisait la main, comme ça ! « Une Rouskof pur sucre, certain... » Je me suis occupée de faire opérer Raymonde de son arthrose de la hanche. Désormais, quand elle me voit entrer dans le magasin géré par sa fille, elle vient bavarder. Elle me dit « tu » et m'appelle « Docteur ».

*

J'ai pris l'autoroute du nord. En dépit du béton et des camions, je retrouve vite le plaisir de conduire, qui n'est qu'une sorte de dédoublement de la personnalité : parce que paysages et visages d'autrefois m'occupent l'esprit, parce que je suis reprise par l'appréhension fébrile d'une amoureuse de vingt ans, l'inconscient de la vieille dame que me voici devenue peut fort bien agir et réagir sans penser. Je regarde tour à tour le rétroviseur et la route devant moi, je freine, j'accélère, je dépasse – sans réfléchir.

Parfois, je perçois aussi la réalité d'aujourd'hui : comme, à la hauteur de l'aéroport de Roissy, les deux très grands cèdres qui déploient leurs rameaux noirs au-dessus du maillage des câbles électriques et de l'entrelacs des voies et contre-voies. Mon rêve s'empare alors des deux cèdres, vigiles de banlieue à présent déjà dépassés, et recrée quelque parc disparu dont ils seraient les seuls vestiges, « *puis un château de briques à coins de pierre* », et l'Adrienne de Nerval, « *Blonde aux yeux noirs, en ses habits anciens, / Que dans une autre existence peut-être j'ai déjà vue, / et dont je me souviens!* » En fait, ce n'est pas d'Adrienne dont je me souviens, mais de Paul lisant Nerval : « *Es-tu sûr de transmettre une haleine immortelle, / Entre un monde qui meurt et l'autre renaissant...* » C'est la voix de Paul à vingt ans, lisant ou récitant non plus les cours d'anatomie pour lesquels il avait inventé toutes sortes de procédés mnémotechniques hilarants, mais Nerval, car, disait-il, plus on apprend par cœur, plus on retient, il faut faire travailler les petites cellules grises et les bourrer de beau. « *Entre un monde qui meurt et l'autre renaissant...* » Nous avons dû sacrifier au monde qui mourait : Paul, sa liberté, son intégrité physique et mentale ; moi, mon identité, mon avenir et mon amour.

Je roule vite, très vite, à mon habitude retrouvée, sur cette autoroute d'un monde non seulement renaissant, mais déjà re-né, opulent et dur, qui s'est édifié à la place du « monde qui meurt » de notre jeunesse. Je dépasse poids lourds après poids lourds, français, belges, néerlandais, — et bien souvent allemands, puissants, luxueux, marqués à l'arrière d'un « D » pacifique, et non plus du « WH » obsédant d'autrefois.

Je roule vers Compiègne que je revois tel que je le traversais alors, de l'hôtel de ville jusqu'à l'Oise, par une voie ouverte entre les monticules de ruines. A force de piétiner ces amas de pierrailles qu'aucun bulldozer n'avait déblayés depuis mai 1940, les Compiégnois, pour aller d'un faubourg épargné à l'autre, avaient tracé des sentiers blancs de plâtras qui serpentaient entre des pans de murs, montaient et descendaient dans des creux où les pluies et les soleils avaient fini par faire pousser des orties et des graminées maigrelettes. Passé l'Oise, sur un pont rafistolé de bric et de broc, une rue menant à la gare contournait un autre champ de ruines qu'une palissade prétendait interdire aux piétons. Mais, pour aller plus vite, on coupait en biais par là, montant et descendant dans la caillasse jusqu'à une rangée de maisons préservées, face à la gare. Lorsqu'on sortait de la gare, ces maisons-là masquaient quelque peu l'étendue des ruines comme un rideau de scène troué. La plus remarquable offrait au regard, au milieu de sa façade, une peinture intacte aux couleurs suaves; un angelot rose de plus d'un mètre de haut, grassouillet, ses petites ailes bien pointées vers le ciel, arrêtait d'un doigt l'aiguille d'une grosse horloge ronde et adressait au passant un sourire complice : A LA DERNIÈRE MINUTE, lisait-on en lettrines noires au pied de l'ange. C'était l'enseigne du café. Un carton imprimé au-dessus de la porte annonçait : ABRI, 35 PLACES.

Je me rappelais bien ce café où, durant l'hiver 43-44, on servait un ersatz de viandox aux personnes transies et résignées qui prétendaient prendre le train pour Paris et redoutaient l'attente sur les quais martelés par des sentinelles allemandes aux pas de métronomes. C'est certainement dans la cave de ce café qu'a été tué le Docteur lors du gros bombardement du début août 44. A LA DERNIÈRE MINUTE ne doit plus exister.

Je roule vers Compiègne que je n'ai jamais revu; j'imagine effondrée la dernière rangée de maisons devant la gare, *tabula rasa*, rien jusqu'au délicat hôtel de ville gothique, rien que des gravats tassés par le che-minement des habitants entêtés à vivre là. Est-ce le sou-venir de tant de ruines foulées au cours de missions humanitaires dans le Tiers Monde durant les années 80 ? ou seulement celui des pénuries subies dans les années 40 – à la Forte-Haie, nous torréfiions des glands et je lavais mes cheveux crasseux avec des sapo-naires cueillies au bord des fossés ; je mendiais deux clous au jardinier pour réparer mes chaussures à semelles de bois ; nous passions des heures avec les malades à confectionner, vaille que vaille, des ficelles, je ne sais plus pour quel usage, avec des bouts de chiffon ; et, à la gare, à peine installé dans un train glacé aux lumières bleuies, chacun, dans un grand bruit de papier froissé, glissait un vieux journal sous son chandail, une feuille devant, une feuille derrière, et le reste, qu'on récupérait avec soin à l'arrivée, autour des jambes, – mais aujourd'hui, cinquante plus tard, roulant vers Compiègne, j'ai l'impression tenace de me diriger vers quelque région sous-développée.

Pourtant, je suis partie sans les énormes et précieux bagages de « Médecins sans Frontières » qu'il faut d'abord dédouaner dans un méchant aéroport peuplé de militaires hargneux qui font traîner les tracasseries, puis trimballer en 4×4 tressautant sur des pistes impossibles, puis décharger soi-même devant une rangée de specta-teurs intéressés qui allongent le cou et se caressent le menton, puis – méfiance, méfiance ! – traîner sous une tente où on finit par étendre son sac de couchage quasi-ment sur les caisses.

Je suis partie sur un coup de tête, sans armes ni armure, sans bagages ni provisions.

Tout absorbée dans mes souvenirs, je suis sortie trop tôt de l'autoroute. Peut-être est-ce là l'effet d'un dédoublement véritable : mon cerveau gauche empli de mémoire de misère, de jeunesse aussi, de mots ressuscités, d'amour inexprimé, – et mon cerveau droit s'orientant comme il peut sans rien reconnaître qu'un décor qui file des deux côtés : grands chênes denses avec le soleil au milieu, puis des maisons basses en ribambelle qui s'étoffent et prennent progressivement de la hauteur et de l'aisance, des garages, des feux qui deviennent verts, j'accélère, ai-je vu ? réellement vu ? sur ma gauche, une structure en barbelés, comme un grand mât garni de bras, tout hérissé de pointes d'acier, un buisson de ronces acérées, très haut, dominant les mornes baraquements d'une caserne ? Je suis déjà loin, l'image entrevue persiste en moi sans que je puisse encore l'identifier : une grande croix double, comme la croix orthodoxe ou la croix de Lorraine, un écheveau d'aiguillons plus tragique que la couronne d'épines. Royallieu, c'était Royallieu, cette banale garnison ! C'est de là qu'*ils* partaient pour la gare, têtes baissées, le regard rivé aux pavés, comme le gueulaient les ordres qu'*ils* ne comprenaient pas. Le Docteur *les* avait vus passer un jour par la fente d'un volet tiré également sur ordre, chez un malade qu'il visitait. La ville était consignée, il n'avait pas pu partir. Le lendemain, il nous avait raconté. Quelqu'un avait lancé du pain par une porte vivement entrebâillée. Le piétinement s'était arrêté, des ordres rauques crevant le silence. La porte avait été forcée par des soldats de l'escorte en armes. Ceux-ci étaient ressortis en traînant un adolescent blond-roux qu'ils avaient jeté dans le troupeau. Deux prisonniers l'avaient relevé.

71

La colonne était repartie. Ce garçon, déporté avec les autres pour une bouchée de pain offert, était-il revenu ?

Mais voilà qu'il me faut ralentir. J'avance à peine au milieu d'un flot de voitures dont vitres et chromes étincellent au soleil. Je perçois vaguement boutiques et maisons prospères que me masque une foule de jeunes défilant sur les trottoirs d'un pas élastique, dans un brouhaha heureux. Quelques-uns envahissent la chaussée – des jeunes, encore des jeunes, filles et garçons, cheveux brillants, cheveux crêpelés, cheveux fous, cuisses moulées, jambes alertes qui se hâtent dans un jean délavé, baskets silencieuses, rires, bras qui se tendent, un classeur à la main, pour gifler mon pare-brise ou me taper dessus au travers de la glace : « Alors, mémé, tu laisses passer ou merde ? » Sortie d'examens, peut-être sortie du bac.

Je baisse un peu plus la vitre : « Eh bien merde ! merde ! merde ! bande de petits merdeux ! » Et maintenant la colère me tient sans que je puisse lui faire lâcher prise. J'essaie de rire, l'air dégagé et complice, mais je hoquette plutôt d'envie de pleurer. J'en arrive à m'affliger de ma propre sottise, d'autant que je ne suis même pas pressée, personne ne m'attend à Boismesnil : depuis cinquante ans, un peu plus, un peu moins ! Je m'indigne de ma propre grossièreté : ils ont l'air de gosses de riches plutôt que de loubards de banlieue, mes injurieurs injuriés. Les voici qui se couchent sur mon capot, qui tambourinent mon toit à coups de poings : « Hé, la mémère en folie ! T'as pas honte, à ton âge, pétasse ! » Ah non, mes remords me regardent ! Je ne vais pas leur faire cadeau de mon *mea culpa* ! Pour eux, pas de contrition, pas d'indulgence, pas de pardon ! Je sens encore dans mon estomac une aigreur glacée : voilà comment on se rend malade... Pourquoi m'être laissée prendre ainsi ?

J'ai beau n'avoir même pas réussi à faire un enfant, je sais bien que je pourrais être la grand-mère de ces ados semblables à mes petits-neveux. Et m'attendrir sur eux. Et les plaindre. Les pauvres, ils font des études, et pourquoi, je vous le demande ? Le chômage ! Pas du tout. Je ne suis pas la grand-mère, ni la « mémère », comme ils disent, ni la « mémé » ! Non, je serais plutôt une sorte de témoin à charge, buté et rageur, partie civile de jeunes disparus auxquels personne ne pense plus – ce petit gars rouquin qui jetait du pain aux déportés et que le Docteur a vu traîner hors de chez lui, jeter sur la chaussée, dans le tas... Mais aussi partie civile pour la pauvre petite Olga qui, elle aussi, passait des examens, et puis, au sortir d'une colle de physio, a vu son père sur le trottoir en face de la Fac, une valise à la main, tripotant sa moustache, un reflet dans ses lunettes lui donnant l'air absent. « Il faut partir, Douchka, il faut que tu viennes avec moi tout de suite, tu es en danger... » Oui, je crois que j'ai pitié de ma jeunesse, que je m'attendris dangereusement sur cette petite moi-même, jeune fille. Oh là ! oh ! rigidité à l'égard d'autrui, apitoiement sur soi, en psychiatrie cela porte un nom : paranoïa affective, ou sensitive, la maladie des vieilles filles, le « délire des gouvernantes »... Si c'est dans de telles impasses que me conduit ma recherche du sens du passé, mieux vaut rentrer tout de suite chez moi et regarder la télé !

Cependant, derrière moi on s'impatiente, on klaxonne sur tous les tons. Il faut que j'avance. J'embraye doucement. Le zozo assis sur mon capot feint le déséquilibre, se couche sur le pare-brise pour me boucher la vue, agite bras et jambes comme un scarabée renversé. Hélas, c'est le seul à ne pas être chaussé de baskets, mais de ces bottes de cuir style far-west dont je ne me rappelle plus le nom. D'un coup de ses talons pour rodéo, il casse quelque chose, un de mes phares sans doute. Bruit de verre brisé, gros rire dans la foule. Je pile, glisse mon ventre sous le volant plus prestement que jamais, et sors comme un diable de sa boîte, cheveux blancs en bataille, sans plus me préoccuper de ma possible paranoïa sensitive. Je me suis débrouillée des Khmers rouges au camp de Kao I Dang, des réfugiés de l'Ogaden en Somalie, des Éthiopiens occupant le Tigré, – je ne vais pas m'effrayer de bacheliers compiégnois un peu surexcités! Moi aussi j'en ai fait, après le bachot, des monômes, du temps où le fin du fin consistait à envahir le Luxembourg avant que les gardes n'aient le temps d'en fermer les grilles, et, là, à balancer les fauteuils et les caisses de lauriers dans le bassin à poissons rouges, au grand dam des chaisières avec leur tablier de moleskine et leurs carnets de tickets à dix centimes. Elles piaulaient, les pauvres, comme moi avec mon phare brisé. Mais je ne suis pas une pauvre chaisière de jardin public. Pourquoi me fâcher contre ces jeunes? Ça ne se fait plus, de nos jours. Ils n'ont pas renversé ma bagnole, comme auraient fait des Parisiens. Ils n'y ont pas mis le feu, comme en 68. Peut-être faut-il les en remercier? Ou calmer le jeu: « Si je vous ai dit merde, mes enfants, c'est pour vous porter bonheur! » Le cowboy se redresse, un morceau de mon phare à la main: « Du verre blanc, ça porte bonheur! Je serai reçu! » Il a l'air enchanté.

Surgit un flic, un vrai représentant de la force publique. Du coup, douillettement drapée dans mon âge, je me sens du bon côté. Je ne suis plus la jeune Olga pourchassée ni la jeune Odile pas très sûre de ses faux papiers, je suis une vraie personne âgée, à l'évidence honorable, houspillée par une bande de galopins. L'agent « dégage la chaussée », fait repartir en marche arrière, par une rue latérale, un magma de voitures vrombissantes et furibondes. Puis, tout à trac : « Et vous tous, vos papiers ! Vous, madame, permis de conduire et carte grise ! » Le voici qui extrait de l'étui en plastique opacifié par l'usure les lambeaux roses de mon permis de conduire. Il n'y a pas d'âge limite, que je sache, pour cette autorisation à sillonner les routes à bord d'un véhicule dit de tourisme. Mon permis porte encore le coût en anciens francs de son timbre fiscal ; ses légendes sont devenues illisibles. Seule la photo est restée nette et très jolie. Elle a été prise juste après mon divorce : la liberté, le militantisme, les amants d'une nuit, – ce que j'appelais « la belle vie » ! J'ai eu la trentaine très réussie, du moins en apparence – mais il n'en reste rien, ni la belle apparence, ni la mémoire.

L'agent examine longuement la star au charme slave, rêveuse, en noir et blanc, agrafée sur une face de mon vieux permis, puis il me dévisage. Je comparais devant moi-même et ne suis pas à mon avantage : cheveux blanchis, lunettes, paupières alourdies, pommettes élargies, amorce de bajoues... Il hoche la tête, sans doute en proie à de tristes pensées sur la fugacité des attraits féminins, tandis que je tends le cou pour effacer un début de double menton et lui souris bravement. En dépit de mes efforts, son regard m'accuse visiblement de ne pas être moi.

75

« Ça ne devrait pas être permis ! grommelle-t-il.

– Vieillir ? Non, ça devrait être interdit ! Mais c'est bien moi quand même ! »

Le rire acidulé d'une fille fuse près de moi, et les voilà tous à pouffer. La « mémère » est chopée en flagrant délit d'usurpation d'identité.

« Non, mais d'avoir des papiers dans cet état ! » En effet, comme il le secoue entre le pouce et l'index, mon permis se détache en deux morceaux. Il en ramasse un à terre, tente de déchiffrer mon nom, et, soupçonneux : « C'est pas français, ça ! Votre carte d'identité, s'il vous plaît ! » Je brasse à nouveau le fouillis de mon sac, en sors des clés, des lunettes, des photos, des lettres, un carnet de chèques, une boîte de gélules, des mouchoirs en papier réduits à l'état de flocons cotonneux... Ah, enfin ! Mon passeport ! Mon cher vieux passeport, dûment prorogé, mais constellé encore de visas en caractères arabes, de visas en caractères sanscrits, de visas en caractères chinois. Mais de caractères cyrilliques, point ! La « Rouskof » n'a jamais osé aller en URSS ni en Russie. L'agent observe les visas page après page, et le jeune cow-boy par-dessus son épaule. « Mémère » a beaucoup voyagé. Je me rengorge et le toise, ce morveux, avec ses tatanes de *saloon*. Hélas, ce n'est pas fini : « Pourquoi roulez-vous avec un caducée, madame ? C'est à votre mari ? » Si ma vie a un sens, c'est la chose à ne pas me dire ! « Je suis médecin, que diable ! Moi, moi toute seule ! » « Vous êtes *encore* médecin ? »

*

Pendant qu'on répare mon phare aux frais du cow-boy ou de ses père et mère, je finis de déjeuner. Avec des gestes de serveur de messe, le garçon en veste blanche, recueilli, passe et repasse un ramasse-miettes d'argent sur la nappe rose avant d'y poser mon île flottante délicatement enserrée dans une résille de caramel. Je m'enquiers auprès de lui de ce monument en fils de fer barbelés entr'aperçu au bord de la route : était-ce bien Royallieu ? « Royallieu ? » répète-t-il sans comprendre. Je précise : « Royallieu, le camp de concentration. » Le grand enfant de chœur s'offusque : « Mais, madame, il n'y a pas de camp de concentration par ici ! – Je ne dis pas qu'il y a, mais qu'il y a eu, oui, un camp de transit pour les déportés, à Compiègne. Vous n'allez pas me dire le contraire, à moi ! » Autant les autres étaient irrespectueux de mes cheveux blancs, autant celui-ci, du même âge, est déférent à l'égard de la cliente que je suis. Seule une lueur inquiète dans son œil de jeune chien bien dressé laisse entrevoir ce qu'il ose penser de moi. « Je vais me renseigner, madame ! » Je contemple, aux murs, d'admirables photographies de la forêt, du Palais, du beffroi, d'étangs romantiques, d'un terrain de golf. La très élégante caissière descend de son tabouret-perchoir entre deux palmiers nains et s'avance vers moi : « à sa connaissance » – mais elle n'est à Compiègne que depuis cinq ans –, il n'y a qu'un monument, mais pas en fils de fer, non, quelque chose comme une pierre tombale debout, « une stèle, quoi, mais sur le quai n° 1 de la gare. Je l'aie lue un jour où j'attendais le train : il y est question d'un nombre effarant de résistants, 40 000 ou 50 000, je ne sais plus, qui seraient partis de là vers l'Allemagne, vers les camps de la mort, mais d'où venaient-ils ? Je ne sais pas. Vous devriez demander au Syndicat d'initiative... Peut-être avez-vous eu quelqu'un... ? » La serviette pliée sur le bras, le serveur est au garde-à-vous. On sent qu'il a souvent arpenté le quai n° 1 de la gare, mais qu'il ne se souvient de rien de tel. Il cherche très fort dans sa jeune mémoire.

*

... Enfin, voici la forêt qui recouvre les souvenirs et les pierres tombales, mais qui ne change pas, elle. Vie et mort conjuguées maintiennent sa permanence. Les plus beaux hêtres de mon temps sont peut-être partis à la scierie, mais leurs cadets, en cinquante ans, ont pris du galbe et de la hauteur, et les perchis des allures de jeune futaie. L'épaisseur verte que forment leurs têtes entremêlées semble la même, toujours montée sur des troncs très droits, d'un gris doux de nuages, qui répètent à l'infini d'irrégulières parallèles. La forêt protège toujours : des regards, du soleil, des angoisses de l'horizon – des ennemis. Comme tant d'autres avant moi au long des siècles, j'avais trouvé refuge contre eux au fond des bois, pendant presque une année, ici, pour me cacher, puis, l'été suivant, pour les combattre dans une autre forêt de Loire, plus maigre, de bruyères et de chênes, parsemée d'étangs. Forêt, abri démultiplié, à l'image de la paix, qui noie le claquement de la mitrailleuse dans le bruissement de ses millions de feuilles soudain agitées par le ciel en mouvement. Forêt asile pour la halte, la reprise de souffle et d'énergie, lorsqu'on s'adosse à un arbre. Il communique sa force depuis ses racines, sous nos pieds, jusqu'au foisonnement transpercé de lumière offert à nos yeux levés. Mais c'est surtout au contact du tronc, du tronc lisse des hêtres, sous les paumes, sous les bras nus en été, sous le dos et la nuque collés à l'écorce, qu'on absorbe une vitalité d'avant nous et d'après nous, qui apaise. « La forêt est la meilleure médication pour mes malades, disait le Docteur, parce que, depuis les Gaulois, la sylve est le sein maternel, et puis chaque arbre qui la compose est un élan vers Dieu. »

J'avais connu chacune de ses saisons. Arrivée en été par temps venteux, je l'avais trouvée pareille à la mer à l'envers. Les feuilles là-haut orchestraient une houle vagissante, tout soudain suspendue, puis reprise. J'avais connu, quand le ciel se charge en novembre, la lumière d'or qui pleut des branches et se concentre sur le sol. On marche dans un bruissement couleur de cuivre. Il est difficile d'être triste en automne, tant la fête est trompeuse. Puis j'avais traîné mes courtes journées d'hiver à détailler les cimes nues et noires sur fond blanc, tandis que mon bel amour se momifiait dans sa prison d'où il ne voyait aucun arbre, aucune neige, endurant un froid sans visage.

*

Le printemps m'avait été insupportable. Pendant de très longues semaines, le printemps en forêt ne se manifeste qu'au sol. Les arbres restent figés comme dans la mort, couleur de paillasson, avec une longue marque d'humidité noirâtre au tronc, côté nord. Les yeux levés ne distinguent que l'hiver prolongé, cependant qu'on a les oreilles émoustillées par la vie nouvelle d'invisibles oiseaux affairés. Ils crient, piaillent, chantent tous les jours plus clair, dès les matins frisquets. Mes fonctions à la clinique m'imposaient, un après-midi sur deux, d'emmener en promenade dans les bois un morne troupeau de malades autorisés à sortir. Je marchais devant, dans ma grande pèlerine bleu marine. Je me forçais à faire vingt-cinq pas sans me retourner – mais je les sentais dans ma nuque –, puis je faisais volte-face et leur lançais un long regard vigilant. Je me rappelais trop l'horrible épisode des baies de belladone dont s'était régalée la dame aux cheveux de coton gris lors d'une des premières promenades que j'avais « assurées », l'été précédent. Après ce drame, j'avais bien essayé de pousser les malades devant moi, comme fait la gardienne d'oies armée de sa baguette de coudrier. Mais ils n'avançaient pas, ils traînaient, vaguaient, tête basse, pleins de soupirs et de gémissements, tandis qu'une ou deux faisaient d'interminables discours à qui ne les écoutait pas. On ne pouvait incriminer les tranquillisants, les antidépresseurs ni les neuroleptiques, qui n'existaient pas encore, d'être responsables de leur stupeur. Bien au contraire, leurs souffrances étaient tellement plus insupportables, et pour eux et pour nous qui ne pouvions en atténuer la stridence palpable ! Combien de fois ne l'ai-je pas dit aux étudiants : ils ne pouvaient imaginer ce qu'était un hôpital ou une clinique psychiatrique avant la « camisole chimique » que d'aucuns dénonçaient à bon compte. Donc, j'avais pris le parti de marcher devant, d'un pas décidé de cheftaine, je chantais même souvent, puis je me retournais vivement avec un sourire, tout en les dénombrant comme une bergère apeurée. Il arriva qu'au printemps, ce rituel se dérangeât. Je me taisais, écorchée d'impatience par les cris croisés des oiseaux, travaillée d'un irrépressible désir de fuite. Que faisais-je là, à doucher des schizophrènes et promener des neurasthéniques, alors que le sort des armes avait basculé, surtout en URSS ? Il fallait tarauder l'ennemi ici, ne pas le laisser utiliser notre France comme une paisible base arrière où les soldats du front de l'Est viendraient « se refaire ». Maman m'écrivait que « Marie-Madeleine », censée représenter la mère de Paul, « redoutait un départ de son fils malade pour un autre hôpital ». J'« assurais » la promenade des malades avec la lettre de Maman dans la poche de ma blouse. Du pouce, je caressais les mots redoutables pour en conjurer la menace. Comme les larmes me piquaient les yeux, je levais le nez et reniflais, surprenant le vol d'un ramier dans un ciel maussade. Les malades, eux, le nez au sol, s'animaient et s'exclamaient, courant de-ci, courant de-là, quittant le chemin pour les sous-bois. L'une avait trouvé des violettes rabougries, l'autre la première ané-mone. Tous se trempaient les pieds pour cueillir des jonquilles dont ils faisaient à tout coup les mêmes bou-quets ronds (avec les feuilles au milieu, raides comme un balai) qu'ils avaient faits dans leur enfance. Ils ramassaient de la mousse et me prenaient à témoin de sa nouvelle, toute nouvelle nuance émeraude. « La vie revient aux mousses, mais vous, mademoiselle Odile, ça n'a pas l'air d'aller ? »

IV

Quatre fois, j'étais allée à Paris. J'avais marchandé
avec Reine, la petite bonne, un chandail contre le prêt
de son vélo. J'avais juré au Docteur « de ne commettre
aucune imprudence inconsidérée ». Je partais à l'instant
le plus transi d'avant l'aube, sans lumière. Je pédalais
une grande heure à la seule lueur trompeuse de l'espace
au-dessus de la route, entre les faîtes des arbres. Le
Ch'tiot Père, le jardinier, prétendait qu'il n'y avait plus
de « bestiaux » (il désignait ainsi les cerfs, biches et
autres chevreuils) ni de « cochons » (à savoir les san-
gliers), car les Allemands, honte absolue, s'amusaient à
les chasser à la mitrailleuse. Lamentations d'ivrogne,
car, roulant en silence, je ne cessais d'entendre d'invisibles « bestiaux » froisser les feuilles mortes ou marteler
d'un galop léger le sol gelé. Il m'est également arrivé de
surprendre un cerf à l'arrêt en travers de la route, ou
plutôt de me méprendre sur cette silhouette couronnée,
immobile comme une sentinelle de cauchemar. Dans le
silence glacé de la nuit, elle semblait n'être là que pour
moi, n'attendre que moi pour me juger et me sou-
mettre. Engourdie de stupeur, je ralentissais et m'éton-

83

nais presque, posant le pied à terre, de sentir le sol ferme. Je m'exténuais à contempler, noire sur fond noir, cette ombre de seigneur qui me barrait la route. Mes genoux ployaient, j'étais près de tomber en faiblesse. Tant que l'Ombre conservait sa posture d'idole, mon esprit en déroute ne trouvait point de réplique. Puis, tout soudain, sa détente projetait de profil, vers le talus, une effigie aérienne que je reconnaissais, un dix-cors de légende – un pacifique herbivore.

Je traversais Compiègne aux petites heures. Quelques zombis se hâtaient au long des trottoirs et des sentes tracées dans les gravats des parties dévastées. J'étais la première à l'ouverture de la consigne où je laissais la précieuse bicyclette. Dans le train aux ampoules peinturlurées de bleu pour la défense passive, des voyageurs au teint cadavérique s'encoignaient pour préserver comme ils pouvaient le peu de chaleur du lit qui leur restait. Moi, après ma très longue course, une euphorique réaction me préservait quelque temps du froid qui bientôt allait me gagner, avec la faim. J'entrais alors en léthargie pour survivre et c'est dans cet état second qu'arrivée à Paris j'allais rôder boulevard Raspail, devant les murs noirâtres de la prison du Cherche-Midi. Aujourd'hui, à cet emplacement, on voit les chercheurs du Centre national de la recherche scientifique, dans le hall d'un immeuble métallique et vitré voué aux sciences sociales, attendre leurs ascenseurs derrière un parterre de plantes exotiques.

« Aucune imprudence inconsidérée », avait dit le Docteur. « Rappelez-vous que vous êtes domiciliée à la clinique et que si vous vous fourrez dans le pétrin, nous y passons tous... » J'avais trouvé ce chantage bien exagéré, mais, tout de même, j'hésitais à m'avancer dans la rue du Cherche-Midi, n'osant m'immobiliser devant la geôle d'un noir soufré, la crasse recouvrant une vilaine meulière jaune. Mais j'avais l'estomac creux et la tête exaltée, je ne tenais debout que dans un rêve éveillé, les pouces passés dans les sangles de mon sac à dos à demi-vide. Me resouvenant de *La Chartreuse de Parme*, j'inspectais les alentours, cherchant des yeux d'où je pourrais jouer les Clélia, de quelle lucarne sous les toits je pourrais faire envoler des messages, de quel balcon haut perché je pourrais chanter... Avec son apparence charbonneuse, la vieille prison militaire était comme une verrue au milieu du noble faubourg, cernée à côté, devant, derrière par de très aristocratiques hôtels particuliers bien plus anciens qu'elle, et toujours d'une grande élégance. Je finis par entrer dans la rue par le trottoir opposé, mais je ne tardai pas à traverser pour m'absorber dans la contemplation, sur la façade de l'hôtel de Rochambeau, d'une inscription signalant qu'avait été fondée là, en 1784, la section française de la Société de Cincinnatus. Là, les « *Insurgents* » français qui avaient aidé la jeune Amérique à se libérer du joug anglais, épris de liberté pour eux-mêmes comme pour les autres, avaient célébré et organisé la solidarité qui devait unir à jamais Français et Américains. Ils avaient fondé une aristocratie des combattants pour l'Indépendance, ils avaient choqué leurs verres de cristal dans un salon aux belles boiseries, ils avaient bu à la victoire de leurs armes et à la santé du jeune État — et à celle de leurs descendants. Or, cent soixante ans plus tard, nos jeunes patriotes étaient enfermés, entassés dans la vilaine prison contiguë, n'en pouvant plus d'y croupir, mais redoutant d'en être extraits.

Diminués, réduits par le vide monotone des jours et des nuits glacés, ils s'éveillaient en sueur à la moindre altération des bruits, des pas, des cris auxquels ils étaient habitués – prémonition de leur propre fin, ou de la mort d'un des leurs.

Je demeurais à contempler les courbes aériennes des balcons de l'hôtel de Rochambeau et je sentais Paul, captif, à quelques mètres de moi. Je me livrais à toutes sortes de calculs magiques mêlant la distance qui, alors, nous rapprochait, au temps depuis lequel nous étions séparés. Notre dernière étreinte remontait à neuf mois – le temps d'une gestation. Mais, cette dernière fois comme les autres, pour lui, pour nous, pour ce que j'espérais de notre avenir, j'avais préservé ma virginité. A présent, je ne pouvais m'approcher davantage sur le trottoir barricadé. Deux sentinelles allemandes, lourdes cuisses sur de lourdes bottes, veillaient, jambes écartées, devant la prison. Qu'ils le gardent ! Qu'il ne quitte pas ce lieu affreux pour être « regroupé » à Royallieu avant de gagner, en troupeau, par des rues désertes, le quai de la gare de Compiègne où attendaient les wagons de bois à la destination inconnue. Dire que j'aurais pu – que j'aurais dû, oui, j'aurais dû – être enceinte de lui... Je ne savais pourtant pas, alors, qu'il était trop tard.

J'ai retraversé la rue, je suis repartie vers le boulevard Raspail. Mais là, à l'angle, se dressait un grand immeuble donnant sur la prison. J'ai baissé le dos en passant devant la loge de la concierge, et j'ai monté, monté de plus en plus lentement, quelque sept ou huit étages. J'ai déambulé dans de froids couloirs nus éclairés par des lucarnes inaccessibles. Les portes rapprochées disaient l'exiguïté des chambres de bonnes. Je ne savais plus m'orienter : lesquelles donnaient sur la prison ? J'ai fini par fondre en larmes sur la dernière marche de l'escalier. Après un bruit de clés, un bruit de pas, une vieille femme est arrivée du fond du couloir et est passée près de moi pour se cramponner à la rampe. Elle m'a tapoté l'épaule et a fait : « Tût ! Tût ! » Elle a descendu quelques marches, puis, sans se retourner, a lancé : « Du courage, voyons, du courage ! Vous êtes jeune ! » Elle avait fortement roulé le « r » de « courage » et prononcé « joune » au lieu de « jeune », comme le docteur Josse qui disait « des z-ou » pour « des œufs ».

*

Mais le vrai but de mes escapades à Paris, c'était le téléphone. Bien sûr, j'appelais Maman la première et lui donnais rendez-vous dans un café comme à un amoureux, près de la gare du Nord, avant l'heure du train du retour. Elle arrivait chargée de provisions et je m'empiffrais auprès d'elle qui racontait sans fin en me caressant les cheveux. Je n'aimais pas ces démonstrations publiques et m'ébrouais comme une pouliche. Mais, une fois le rendez-vous pris avec Maman, j'appelais ensuite tous mes amis, et les amis d'amis, tant et si bien que j'étais parvenue à renouer avec le réseau sans attendre que la mère de Paul, bien entendu de mèche avec mes parents, m'eût fait signe comme elle l'avait promis. Ils étaient tous enchantés de me savoir à l'abri de mon faux voile d'infirmière, dans mes bois reculés.

Voici que les larmes me piquent les yeux à me remémorer l'odeur confinée d'humanité malheureuse des cabines publiques, en ce temps-là. J'achetais au guichet de la poste une provision de jetons rainurés, et, déjà ivre de fatigue, je faisais la queue devant les cabines. Elles étaient en bois verni toujours gondolé et on avait bien du mal à fermer leur lourde porte à double vitre. En principe, quand on parvenait à la claquer, la lumière au plafond s'allumait. Du moins avant-guerre, car, désormais, il n'y avait plus d'ampoules. Il fallait se débrouiller dans la demi-obscurité pour tourner les pages molles, roulées sur elles-mêmes, des annuaires crasseux attachés avec une chaîne à une tablette au-dessous de l'appareil mural. Quand j'étais enfin barricadée dans ma logette, les candidats à ma succession, qui faisaient la queue, espionnaient mes gestes à travers la vitre. J'avais acquis une extrême adresse dans l'art de faire se succéder quatre ou cinq appels sans jamais être surprise à l'instant où je raccrochais. Je faisais mine de parler dans le combiné alors même que je cherchais frénétiquement dans l'annuaire. Je me servais, pour me masquer, de mon abondante chevelure et de l'affichette *Interdit aux Juifs!* apposée sur la vitre. Mais je risquais la syncope, tant l'oxygène se raréfiait dans mon habitacle hermétiquement clos. Pas question d'entrebâiller la porte pour respirer, sinon un énergumène au dernier degré de l'énervement en profitait pour ouvrir en grand et m'extraire sans façons. D'appel en appel, je retrouvais les miens, je remontais la filière, je me faisais reconnaître : « C'est moi, Olga, tu te rappelles? » Je gribouillais, sur le sous-main posé sur la tablette, des chiffres et des signes perdus dans la forêt de ceux gribouillés par mes prédécesseurs. J'avais faim, j'étouffais dans la puanteur fade de ce placard – mais c'était la liberté retrouvée, la voix des copains, c'était l'excitation de ma vraie vie, enfin, enfin, après des mois de sommeil sous un nom d'emprunt. Liberté, liberté de parler en mon nom...

Sur la porte des cabines, une affichette annonçait : *Interdit aux Juifs!* – point d'exclamation! Toutes les proclamations allemandes étaient hérissées de points d'exclamation. Comme des coups de gueule imprimés. Cela faisait deux ans déjà que les Juifs n'avaient plus le droit de téléphoner. Au début, on avait trouvé cela grotesque, tout juste bon à être persiflé. Un jour, au quartier Latin, comme j'entrais dans la poste de la rue Cujas, une fille de mon âge portant l'étoile jaune, après avoir fait la queue, décontenancée, hésitait à pénétrer dans une cabine qui se libérait. Elle me désigna l'interdiction : « Pourriez-vous téléphoner pour moi? » Nous avons improvisé une manière de jeu ridiculisant les prescriptions germaniques. Restée près de la porte que j'avais laissée grande ouverte, elle me souffla les chiffres à former sur le cadran, puis, très fort : « Dites que c'est de la part de Simone et qu'on aille chercher ma mère. – On est allé la chercher, elle arrive! Qu'est-ce que je lui dis? – Que j'ai eu la meilleure note du jury en maths et que je rentre seulement pour dîner! » Une voix, dans la queue, félicita : « Bravo, Simone! », et elle salua, l'air mutin, d'une petite révérence. La mère, au bout du fil, s'époumonnait : « Qui est à l'appareil? Passez-moi Simone! » Je criai bien fort : « C'est moi, son amie Olga! – Mais passez-moi donc Simone, voyons! – Simone est empêchée! Mais, ici, on est très fiers d'elle! » L'assistance acquiesça d'un gai murmure. Nous étions enchantées de notre petite prestation.

Mois après mois, alors même qu'on était loin d'imaginer l'ampleur de la tragédie dérobée à nos yeux, les affichettes semblaient être devenues redoutables et nul ne se serait risqué à en plaisanter. Les personnes portant l'étoile jaune n'entraient plus dans les lieux publics. Du reste, on ne voyait quasiment plus de personnes portant l'étoile jaunc. Même mon père l'avait remarqué.

*

Mon père avait des amis juifs d'origine russe, et des amis russes d'origine juive (il tenait à la subtile distinction qu'il introduisait ainsi). Il les avait tous visités pour parler des « événements », mais, dès 1942, ils s'étaient évaporés « dans la nature », au sens propre du terme, sans le prévenir, sans lui dire où ils s'étaient cachés, sans lui demander de l'aide. Il en était blessé. Il se savait loyal et dévoué. Et puis, il les aimait. D'où des amertumes du genre : « On ne peut décidément pas leur faire confiance ! On croit qu'on a des amis, et puis pffft ! » Il se serait certainement mis en quatre pour aider celui-ci ou celui-là, parce que c'était « un être exceptionnel » ou « une intelligence remarquable ». Mais nul n'avait le droit, à propos de la politique de persécution des Juifs par les nazis, d'évoquer Kichinev ou les pogroms perpétrés par l'armée blanche au cours de la guerre civile russe. Il s'emportait : « Rien à voir ! Rien ! Les Allemands avaient les meilleurs Juifs, éduqués, travailleurs, doués, des esprits distingués ! En Russie, en Pologne, c'est une autre paire de manches ! Oui, quelques-uns sont devenus très instruits, mais c'est pour accaparer l'argent des pauvres ou pour devenir révolutionnaires, bolcheviks, communistes ! Quant aux autres, dans les ghettos, vous ne les avez pas vus, les autres ! – Toi non plus, Papa, tu ne les as jamais vus... – Je te dis qu'il y a Juifs et Juifs, et que vous ne pouvez pas savoir ! Tiens, parmi tous ces immigrés... » Papa n'avait pas une conscience d'immigré, mais d'assimilé : ces « autres » venaient le lui rappeler, et il n'aimait pas cela. « Ces Juifs-là ne ressemblent pas à ton professeur de physique, crois-moi ! Ni à mon cher Adam Abramovitch. Tiens, le régisseur de mon père, c'était un Juif, très bien traité, prospère, qui faisait sa pelote sur le dos des paysans... – Comme tous les régisseurs ! – Il n'empêche qu'à la première alerte, il les a laissé piller, incendier ; lui, il est allé se terrer dans son *chtettel* et on ne l'a jamais revu ! Demande à ton grand-père ! Demande aux Autrichiens la tête qu'ils ont fait quand, pour l'enterrement de Theodor Herzl, l'apôtre du sionisme, ils ont vu arriver à Vienne, par trains entiers, ces étranges étrangers de Galicie et de Moldavie ! Les bourgeois juifs de Vienne n'en sont pas revenus ! Ils ne leur ont pas interdit de téléphoner, ce n'était pas la peine. Mais ils étaient bien soulagés de les voir rentrer chez eux ! »

Maman partait alors en claquant la porte. Maman n'avait pas d'amies juives « exceptionnelles » ou pas exceptionnelles, mais elle se considérait comme la sœur mystique de tous les Juifs, parce qu'ils étaient persécutés comme l'avaient été les protestants, et parce qu'ils étaient, les uns et les autres, les enfants de la Bible. Maman ne manquait jamais une occasion de rappeler que son père se prénommait Samuel, et son grand-père

Élie ; elle ajoutait que les catholiques et les orthodoxes ne connaissaient pas l'Ancien Testament.

*

Moi, sa fille, de son fait je connaissais l'Ancien Testament, mais je ne l'aimais pas, depuis les jours lointains de l'École du Dimanche qui recevait les enfants au temple avant le culte des grandes personnes. Mes camarades de classe dormaient tard le dimanche, que leur famille fît la grasse matinée dans l'indifférence religieuse la plus totale ou qu'elle allât à la grand-messe dont on sortait juste pour mettre le couvert du déjeuner. Moi seule et quelques très rares petites coreligionnaires devions nous lever tôt. A moi les réveils grognons, les chaussettes blanches étroites et collantes que Maman m'aidait sans douceur à enfiler en me faisant répéter le Veau d'or et la main de Jéroboam devenue sèche, les gorgées de café au lait au goût de « *Salomon le plus grand de tous les rois de la terre par les richesses et par la sagesse* » (Tu parles ! les riches ne sont pas sages !), et le trajet en courant sur un trottoir dominical désert toujours balayé de vent ! Certes, à l'École du Dimanche, nous devions réciter par cœur le résumé de la leçon précédente, mais la leçon du jour était conçue comme un récit merveilleux, bien fait pour se graver en images indélébiles dans nos imaginations : Moïse flottant parmi les hautes herbes dans son léger berceau, la mer fendue en deux pour permettre le passage des Hébreux. Malheureusement, je n'en retenais que la cruauté. Notre pasteur, ou la charmante dame qui parfois le remplaçait, savait parfaitement nous faire sentir les prodiges que

l'Éternel, le Dieu d'Israël, avait accomplis pour sauver
Son peuple, puisque tous ces récits, forcément, « finissaient bien » afin qu'il s'en dégageât une leçon de foi et
de fidélité inébranlables. Mais moi, je restais à me
débattre avec la cavalerie égyptienne sur laquelle l'Éternel avait « *ramené la mer qui la couvrit* ». De même,
auparavant, je m'étais souciée, non de Noé avec ses
bêtes, mais des noyés du Déluge dont on ne disait plus
rien, comme je m'étais attardée avec la pauvre servante
(les serviteurs, dans l'Ancien Testament, sont énumérés
avec le bétail et le mobilier) Agar, qui fut envoyée au
désert avec son bébé Ismaël, humbles et innocents,
chassés par le méchant Abraham ; ou avec la femme de
Loth, punie pour avoir eu un regard de commisération
pour les Sodomites qui grillaient au petit matin dans
leur ville-brasier, y compris les bébés innocents ; avec
l'enfant Isaac à moitié mort de peur sous le couteau levé
de son père et qui avait bien dû en conserver quelque
séquelle ; ou avec les serviteurs de Pharaon dont les
pauvres lits étaient « *couverts de grenouilles* », grouillants
de grenouilles, et qui durent non seulement les tuer,
mais également exterminer celles qui grenouillaient
dans les maisons de leurs patrons, puis les entasser,
mortes, et enfin périr infestés après cette exténuante et
répugnante besogne. Pourquoi le grand-père de Maman
s'était-il appelé Élie, alors qu'Élie, vêtu « *de poil* » avec
une ceinture de cuir, perché sur sa montagne, avait
imploré Dieu d'envoyer le feu du ciel « *consumer* » un
chef et cinquante hommes venus lui intimer l'ordre d'en
descendre, puis à nouveau un chef et cinquante
hommes qui ne faisaient qu'exécuter les ordres reçus du
roi ? En tout, me disais-je, cent deux hommes grillés —

93

un monceau de chair brûlée pour rien puisqu'il allait épargner le troisième chef, celui-ci l'ayant supplié en pleurnichant... La violence, l'orgueil, la ruse et l'injustice me retenaient, médusée, révoltée, aux mailles de tous ces récits, et je ne parvenais pas à partager les joies et triomphes des douteux héros protégés par l'Éternel. Pourquoi me racontait-on ces histoires peu exemplaires le dimanche?

Heureusement pour nous, Chrétiens, à partir du récit de Noël, la lumière, l'amour et le pardon, l'attention aux humbles et l'humilité remplissaient l'Évangile. Je recevais ces versets-là comme s'adressant mystérieusement à moi, je devenais bonne et désirais devenir meilleure. J'avais un grand besoin de morale et celle du Christ me convenait, illuminée par la grâce qui m'apaisait sans les affres de la confession. Non, je n'étais pas fille de l'Ancien Testament et ne me reconnaissais pas de parenté avec les Israélites. Au contraire, je les aurais plutôt plaints de n'avoir que ces ancêtres difficiles et leur Dieu terrible pour toute religion, si je ne m'étais rendu compte que les quelques jeunes Juifs rencontrés au cours de mes études n'étaient pas plus que moi attachés à Abraham et à Isaac. Ils préféraient Léon Blum et les espoirs de justice attachés au socialisme, voire au communisme. Ils attendaient un monde nouveau, sans références religieuses ni raciales. Moi aussi. Nous étions semblables. Nous avions le même ennemi.

Et pourtant, eux seuls étaient traqués. Maman demeurait persuadée qu'après les Juifs, ce serait le tour des protestants : les nazis n'avaient-ils pas persécuté les Églises évangéliques d'Allemagne? N'avaient-ils pas, à peine arrivés à Paris, mis à sac l'appartement du pasteur

Boegner, le président de la Fédération protestante ?
Devançant l'appel, en quelque sorte, Maman portait
désormais sa croix huguenote sur son manteau, à la
place de l'étoile jaune. Sa protestation de fraternité ne
s'en tenait tout de même pas là : comme elle pouvait,
elle aidait ceux qui aidaient les persécutés. Sans elle, je
n'aurais jamais trouvé si bon asile à la clinique de la
Forte-Haie, avec détour chez les diaconesses. Elle aussi
avait un réseau, qui se réunissait tout bonnement dans
la sacristie du temple, mais qui se ramifiait jusqu'aux
Éclaireurs israélistes clandestins en passant par les Qua-
kers, et jusqu'aux Juifs étrangers internés à Gurs en passant par la CIMADE [1].

---

1. Comité intermouvements auprès des évacués, organisme protestant créé pour aider les Alsaciens évacués au début de la guerre.
La CIMADE, pendant l'Occupation, prit en charge essentiellement
des étrangers chassés d'Allemagne ou d'ailleurs et venus chercher
refuge en France, où ils furent internés dans des camps par Vichy,
à Gurs, Rivesaltes, etc. La CIMADE fit passer des milliers de Juifs en
Suisse.

V

A la Forte-Haie, on avait vite appris que, pour mon jour de congé, il m'arrivait d'aller à Paris voir mes parents. Le Docteur et Josse me donnaient des ordonnances longues d'une aune, car je devais tenter de rapporter des médicaments devenus introuvables à Compiègne. Mais il semblait que tout le monde à la clinique eût quelque commission à me confier : acheter un livre, téléphoner à tel numéro, porter une lettre. Je ne sais pourquoi, je refusais les lettres closes. Odile Soulez était d'un naturel volontiers soupçonneux. Elle se dérobait : « Je n'aurai pas le temps d'aller jusqu'à cette adresse, monsieur. Pourquoi ne postez-vous pas votre lettre ? Le courrier fonctionne assez bien, savez-vous ? » Qu'aurais-je fait si j'avais été moi sans fard, Olga Stoliaroff, que peu à peu je trahissais ? Pourquoi ces missives qu'on me proposait de porter auraient-elles été compromettantes ? Et, si elles l'étaient, ne valait-il pas mieux les prendre ? Avec le cachet de la poste de Boismesnil, deux cents habitants, elles conduisaient tout droit à la Forte-Haie. Mais ma fausse carte d'identité m'avait rendue pusillanime.

97

L'une de ces veilles de voyage, une Mme Huret nouvellement arrivée me fit entrer en chuchotant dans sa chambre pour me confier une commission bien plus inattendue. Elle s'enquit du quartier où je me rendais et eut un sourire de triomphe. Ainsi donc, m'expliqua-t-elle, cela ne me ferait pas faire un bien grand détour que d'aller rue Mayet : c'est là que se trouvait l'épicerie où elle était « inscrite ». A l'époque, on ne pouvait acheter les denrées délivrées contre des tickets d'alimentation, du moins les plus essentielles, que dans une seule boutique, toujours la même. Le commerçant portait sur son registre les noms de tous les membres de la famille et les numéros des cartes d'alimentation de chacun, avec sa catégorie : E pour les bébés, J1 et J2 pour les enfants, J3 pour les adolescents, A pour les adultes, T pour les travailleurs de force et V pour les vieillards, qu'on n'appelait pas encore « personnes âgées ». Le commerçant apposait son tampon sur les cartes des clients dont il avait l'exclusivité, et, si l'on déménageait, il fallait se faire « radier » dans les formes, c'est-à-dire avec un maximum de complications. Cette obligation de se servir toujours au même râtelier pour manger, alors qu'on ne trouvait presque plus rien en vente libre, rendait très difficile la vie des résistants en missions itinérantes, sans domicile fixe.

A ma grande indignation, Mme Huret commença par me confier qu'elle avait conservé par-devers elle sa carte d'alimentation. Mais, si chaque pensionnaire en faisait autant, comment Mme Daucourt, l'économe, pourrait-elle nourrir tout le monde ? « Vous mangez le pain des autres, en ce cas, madame ! » Le menton de Mme Huret oscillait légèrement de droite et de gauche, comme animé d'une dénégation perpétuelle. D'un coup d'œil, je vérifiai ses mains noueuses de rhumatisante : elles tremblaient continûment. Branle-t-on également du chef, dans la maladie de Parkinson ? Je fouillais dans mes souvenirs d'étudiante, tandis qu'elle me répondait aigrement qu'elle ne mangeait le pain de personne, d'abord parce qu'elle payait sa pension ici, ensuite parce que le Docteur lui avait établi une nouvelle carte d'alimentation. « Simplement, je ne lui ai pas confié l'ancienne, qui est inscrite à l'épicerie de la rue Mayet. Il n'y a pas de mal à ça ! » Sa main droite, qui tremblait fort sur son genou, s'affermit soudain pour me tendre un journal. Tremblement au repos, qui cesse à l'action : maladie de Parkinson. Elle avait entouré d'un trait ferme la nouvelle de la « sortie » du ticket DX pour Paris, donnant droit à 150 grammes de sucre. « Pourriez-vous me l'acheter et voir si mon épicière, qui me connaît bien et qui est très gentille, accepterait de vous vendre aussi le sucre du mois dernier que je n'ai pas touché ? »

Elle s'était mise à chercher dans un grand sac noir nanti de très nombreux compartiments et je voyais frémir légèrement son crâne poli à l'endroit de la raie partageant ses maigres cheveux de vieille. La trémulation de sa tête me perturbait. Mais, surtout, met-on un Parkinson, maladie neurologique incurable, dans une maison de repos psychiatrique ? Allait-elle inexorablement se déformer, se recroqueviller, se paralyser ? Que pourrions-nous pour la soigner ? Pas assez d'infirmières, pas d'ascenseur, pas de chambres au rez-de-chaussée pour de grands infirmes... Pourquoi était-elle ici, la pauvre créature ?

Elle avait trouvé. Elle releva la tête et me fourra dans la main une carte d'alimentation liée par un élastique à un paquet de tickets inutilisés. Cette carte était barrée d'une énorme inscription rouge vif : JUIF, et établie au nom de Lévy née Bloch, Rolande. J'avais à peine articulé : « Mais, madame... » que déjà elle pleurait. Elle pleurait sans cligner des yeux. Elle avait le regard fixe, et les larmes débordaient de ses iris noirs. Elle les épongeait avec un grand mouchoir qui étouffait sa voix. On aurait dit qu'elle considérait un écran sur lequel s'inscrivaient des lamentations qu'elle énonçait d'une voix accablée. Bien sûr, elle ne pleurait pas à cause du sucre, mais elle en avait assez d'être juive, je ne pouvais pas comprendre, il n'y avait qu'à voir comment j'avais tout de suite dit : « Mais, madame... » Mais... quoi ? Elle était quelqu'un comme tout le monde ! et même mieux que la plupart ! Française depuis je ne sais combien de générations ! Si elle avait une appartenance, une ascendance, c'était d'être lorraine – comme Jeanne d'Arc ! Jamais ses ancêtres ne s'étaient vu reprocher d'être juifs. Non plus que son fils aîné, tué en 1917. Ni son défunt mari, le professeur, ni elle n'étaient religieux. Ils donnaient à des œuvres juives, oui, par charité, mais ils donnaient aussi aux œuvres laïques. Jamais elle n'avait mis les pieds dans une synagogue. Alors, se voir mettre sur des listes, avec interdiction d'entrer dans un jardin public, d'avoir le téléphone, dans son propre pays ! Leur étoile jaune, elle ne l'avait jamais portée, sa fille lui avait dit que c'était dangereux. Sa fille et son gendre étaient cachés, tout le monde était caché dans la famille, mais elle s'était dit qu'elle était vieille et bien tranquille, alors... En un sens, comme elle ne mettait pas l'étoile et ne sortait guère, elle aussi était cachée. Mais il y a ces maudits papiers. Même pour avoir des nouilles, il faut qu'on sache qu'elle est juive ! Son épicière, elle répète que ça lui est bien égal, qu'elle la servira toujours comme avant, qu'elle n'a pas changé du jour au lendemain, n'est-ce pas ? Mais c'est sa fille qui a peur qu'elle soit contrôlée. Avec tous ces tampons... C'est comme les tampons qu'on met sur les moutons à l'abattoir. Je ne peux pas me rappeler, je suis trop jeune, mais quand on achetait du gigot, le tampon était quelquefois encore visible sur la peau. Eh bien, voilà ! Elle est réduite à l'état de bétail, avec un tampon rouge à l'encre indélébile ! Ils plaquent ça sur les cartes, impossible de l'enlever ! Est-ce que ça finira un jour, cette malédiction ? Ce malheur d'être juifs... « Demandez-donc à votre docteur Josse ! Il en sait quelque chose, lui ! Mais lui, il n'est pas français ! Moi, je suis française depuis la Révolution ! »

J'avais glissé à genoux devant elle et saisi sa main trémulante qui s'accrocha à la mienne et la serra sans plus trembler.

« Mais si, madame Lévy, ça finira ! Votre malheur à vous finira avec la guerre, et même avant, dès que nous serons débarrassés des Allemands ! Bientôt, maintenant, grâce aux Russes ! Les Alliés vont débarquer et nous débarrasser des Boches, et vous serez délivrée ! Il n'y aura plus de danger pour vous, plus de malheur ! Voyez les malades qui vous entourent dans cette maison, qui ne sont pas juifs, ils ne seront pas guéris par l'arrivée des Anglais, eux ! N'est-ce pas un bien plus grand malheur ? »

Elle en convint sur-le-champ. Elle hochait toujours la

tête de manière à peine perceptible. Mais ses larmes séchaient :

« Vous avez raison. Les pauvres... Cette pauvre Mme Guilloux, ma voisine de chambre... En ce moment, elle est tranquille, mais, parfois, elle crie la nuit... Ça ne finira jamais, pour elle ? Elle ne guérira pas ?

— Je ne sais. Elle est très déprimée. Le Docteur la guérira peut-être, mais pas le débarquement ! Elle ne sera pas soulagée de sa souffrance aussi vite que vous. Et puis, il y en a d'autres... Vous verrez...

— Oh, je vois déjà ! Je ne voudrais pas être comme eux. C'est dur de vivre avec eux alors que je ne suis pas malade. C'est ce que j'ai dit au Docteur. Mais il m'a dit que c'est au milieu des malades que je serai le mieux cachée, et il a ajouté qu'ils n'étaient pas contagieux ! Donc, je ne risque rien !

— Vous voyez bien ! »

Mais, avec la maladie de Parkinson, elle court jusqu'à cent pour cent de risques, et quels risques ! Doucement, je desserre mon étreinte et lui caresse la main, puis le pouce dont je vérifie la souplesse. Non, il n'est pas flé-chi, ni même raidi. Elle s'avise vite de mon manège et retire sa main :

« Mais non, mais non, je ne suis pas malade, comme vous croyez ! Ah, vous feriez un bon petit docteur... Non, mademoiselle Odile, mon tremblement, c'est de famille, avec l'âge. Ma mère, c'était pareil. Ils appellent ça un tremblement " essentiel ", mais, justement, parce que c'est " essentiel ", il paraît que ça n'est pas grave. Ça ne me gêne pas, ou bien peu, et je n'en mourrai pas. Alors, puisque vous ne voulez pas prendre ma carte et mes tickets, rendez-les-moi. Je vais les envoyer à une voisine très gentille qui connaît l'épicière. J'ai déjà préparé l'enveloppe.

– Donnez-la-moi : je la porterai à votre voisine. Cela, je peux le faire. »

*

Il était fort tard quand, rassemblant mon courage, j'ai frappé à la porte de la chambre du Docteur. Il vint m'ouvrir en pyjama, en se grattant le poitrail. Je pouvais apercevoir, dans un deuxième lit, Mme Edwige qui dormait, et il la désigna en mettant un doigt sur ses lèvres. Je faillis m'enfuir, tant il était incongru de le surprendre ainsi, bâillant, ébouriffé, découvrant une calvitie d'ordinaire bien dissimulée sous une longue mèche rabattue. Et puis, ces poils frisottés qui sortaient de son col ouvert, juste sous mon nez !

Pourtant, curieusement, c'est cette image de lui qui me revient, cinquante ans plus tard, maintenant que je suis bien plus âgée qu'il ne l'était alors. L'image d'un homme las, très las, sur qui tout le monde comptait. Il m'a poussée dans le couloir :

« Qu'est-ce qu'il y a encore ? »

J'ai cafardé avec soulagement. J'ai raconté la demande saugrenue de Mme Huret et lui ai tendu l'enveloppe qu'elle m'avait confiée, épaissie de contenir, outre sa carte d'alimentation, une lettre et plusieurs feuilles de tickets. Mais cette enveloppe, je l'ai tendue au Docteur à l'envers. Au dos, on lisait : *Madame Huret, Clinique de la Forte-Haie, Boismesnil, Oise*. Sous le globe qui éclairait le couloir, il a ouvert l'enveloppe,

103

en a sorti la carte, et il m'a semblé que l'inscription JUIF brillait, d'un rouge presque phosphorescent. Mais ce n'était peut-être qu'une illusion. Le Docteur a fourré le tout dans la poche de son pyjama en soupirant :

« Elle est complètement folle ! C'est à qui sera le plus timbré, dans cette maison. Je lui parlerai demain. Bonsoir, et bon voyage ! »

VI

Pour aller de mon restaurant de Compiègne à Bois-mesnil, j'ai consulté la carte, il n'y a pas trente-six che-mins. J'ai donc bien pris, en voiture, la même route forestière qu'autrefois je faisais à bicyclette, mais je ne la reconnais pas. La forêt n'a pas changé ; la route, si. Élar-gie, aplanie, asphaltée de neuf, agrémentée de bandes blanches immaculées, bordée de bas-côtés tondus machine, elle est sillonnée de voitures comme une nationale, et je ne peux pas ralentir sans me faire hous-piller à coups de phares en plein jour, dépassée par des gens pressés. Où vont tous ces bolides ? Moi qui remonte le temps, expédition unique, je pensais être seule dans mon pèlerinage jusqu'à mon lieu de cache. Autrefois je l'étais, lorsque je pédalais sur une étroite voie trop bombée, zigzaguant pour éviter les nids-de-poule, tandis que la lune qui passait et repassait derrière les troncs d'arbres me donnait l'impression de faire du surplace. Je m'attendais bien à aller plus vite en voiture, mais pas à troquer la plongée en forêt contre la traversée d'un parc fréquenté au long d'une belle avenue sans mystère.

Voici déjà le hameau de l'Écart dans sa clairière, et voici la clinique! Je freine en apercevant le portail du jardin, comme pour attendre la petite Odile Soulez qui n'arrivait là qu'après une heure d'effort, haletante, et descendait en roue libre jusqu'à la remise toujours plongée dans l'obscurité. Là, elle devait, à tâtons, ranger le vélo de Reine contre une grille et fixer, de ses doigts gourds qui se prenaient dans les rayons de la roue arrière et se salissaient au garde-boue, un diabolique cadenas sempiternellement déboîté. Ensuite, les cuisses tremblantes de sa course, elle montait jusqu'à la maison, blanche sous le clair de lune, en espérant que l'heure du couvre-feu n'était pas dépassée et que Mlle Puech n'avait pas encore verrouillé la grande porte. Puis elle gravissait, étaient-ce deux? étaient-ce trois étages? en évitant les marches qui miaulaient, et elle se jetait sur son lit, les mollets douloureux, sans se laver, les mains tachées de cambouis, tant pis, on verrait ça demain, et les larmes coulaient dans l'oreiller et le sommeil, d'être à nouveau si loin, si loin de Paris après s'être approchée à quelques dizaines de mètres de Paul enfermé, invisible et silencieux.

La voici donc, la vaste demeure, toujours coiffée de sa toiture d'ardoises compliquée de pans coupés, de chiens-assis, de pignons, de tourelles. Le soleil semble l'avoir dénudée. C'est qu'a disparu la bignogne géante qui foisonnait au-dessus du perron et grimpait jusqu'au deuxième étage, plein de nids. C'est vrai, le jardinier pestait parce que les marches étaient constamment tachées de fiente et jonchées de feuilles et de brindilles. Mais ce n'était pas lui qui nettoyait: c'était un malade très triste, aux grandes oreilles décollées, qui maniait son balai de genêts avec une régularité d'obsessionnel. Et puis, l'été, quand la bignogne était en fleurs, il pleuvait de rouges corolles tubulaires intactes que le Docteur embouchait en les appelant trompettes de Jéricho. Plus déroutant encore, les persiennes sont closes, découvrant de chaque côté des fenêtres une pierre blême et comme neuve qui semble n'avoir jamais enduré ni pluies ni soleils.

Je ne puis me recueillir en silence devant la maison fermée sur mes souvenirs, car, contre son flanc droit, pétarade une excavatrice jaune. Avec des élans sourds et des reculs vacillants, elle râcle au fond d'un trou, puis lâche du sable sur un grand tas. Je sors quand même de ma voiture et pénètre dans le jardin dont le portail est grand ouvert. Un monceau de sable coulant témoigne des dimensions de la tranchée ouverte dans ce vieux sol alluvionnaire. Souches et racines ont été entassées à part, ainsi que quelques beaux blocs de grès tendre. Avançant toujours, je m'aperçois que la surface creusée est bien plus large que je ne croyais : à l'évidence, on va construire une aile nouvelle, qui agrandira la façade de moitié. A la place de ce quadrilatère affouillé s'étendait, de mon temps, un espace qu'on appelait pompeusement « la terrasse », bien qu'il fût de même niveau que le jardin côté façade. Il était recouvert de graviers blancs et ceint d'une plate-bande arrondie qui le séparait de la pente du verger. Les rosiers-tiges de cette plate-bande étaient dignes d'un petit Marly, et le Ch'tiot Père, dont ils étaient l'orgueil, les paillait soigneusement en hiver. A leurs pieds se succédaient des fleurs de saison. Je me rappelle des pensées sucrées de givre, mais, surtout, le branle-bas plein d'entrain qui accompagnait les changements de plantations. On enrôlait les pensionnaires volontaires, et ils étaient nombreux à arracher, sarcler, biner. Toutes les têtes se relevaient, au crissement des brouettes, pour voir la grande Anna et le Ch'tiot Père véhiculer, depuis la serre du potager, les jeunes plants de la nouvelle parure, encore peu fournis mais pleins de promesses : des myosotis et des pomponnettes au printemps, des sauges et des bégonias l'été. Comme, en ce temps-là, on vivait toujours d'espoir sans pouvoir jamais faire le moindre projet personnel, on se rabattait sur le règne végétal qui suivait ses cycles, quoi qu'il arrivât. Les genoux dans la terre humide, il y avait toujours quelqu'un pour dire : « Il faut que ce soit beau pour la victoire ! » ou bien : « Je parie que quand elles fleuriront, nous serons libérés ! »

Nous vivions tous, malades et sains d'esprit, jeunes et vieux, au jour le jour, sans jamais échafauder le moindre plan d'avenir. Tout dépendait des « événements », des vagues de forteresses volantes qui survolaient nos bois toutes les nuits, des villes détruites dont la radio nous apprenait chaque jour les noms : Saint-Pierre-des-Corps, Villeneuve-Saint-Georges, Lille (six cents morts), La Chapelle, Juvisy, Noisy-le-Sec, Saint-Ouen, Clignancourt, Rouen (quatre cents morts), Orléans, Épinal, Belfort, Tonnerre, Lyon, Avignon, Marseille... Chaque jour, un pensionnaire avait de la famille là-bas... Cernés de ruines, toutes les routes nous semblaient barrées. Heureusement, les fleurs continuaient de pousser, et les changer donnait à tous ceux qui mettaient la main à la terre l'illusion de maîtriser le cours des saisons. Elles étaient notre projet collectif.

*

La terrasse, bien exposée au sud et à l'abri du vent d'ouest, était un vrai cagnard et nous l'utilisions comme un salon de plein air au premier rai de soleil. « Le café sera servi sur la terrasse! » annonçait Mlle Puech avec l'accent de Mazamet. S'ensuivait un ébranlement de chaises, un remuement de pieds dans la salle à manger un peu moins triste qu'à l'ordinaire, quelques cris trop aigus, et les malades s'ébrouaient pour transhumer chacun à son rythme, allant chercher qui son pardessus, qui un gros châle, qui son ouvrage, qui sa pipe, pour s'installer sur les bancs verts et les fauteuils de rotin de la terrasse. On servait le café de glands sur des tables de jardin en fer peint dont les écaillures rouillaient doucement, car elles restaient dehors par tous les temps. On y jouait aussi. On jouait beaucoup au bridge, à la Forte-Haie, et aux échecs où s'affrontaient nos deux docteurs. Mais on jouait aussi aux dames, au loto, et à plusieurs ancêtres du scrabble dont on puisait les lettres dans des sacs de toile fermés par une coulisse. Des rondelles de bois marquées d'une lettre tombaient à terre dans le gravier et je bondissais, du fond de l'ennui mortel où je me tenais recroquevillée, pour les ramasser : tout ce qui tombe à terre est un signe du destin et, dans mon obéissante passivité, j'étais affamée de magie. J'attendais vainement un « P », mais je me contentais d'un « E » que je traduisais « Espérance ». Les jeux de lettres comptaient des profusions de « E ». J'avais donc une inépuisable provision d'espérance. Qu'en ai-je fait ? L'ai-je gaspillée quand les choses sont devenues plus

109

faciles et que tout, au lieu d'être affaire d'attente, devint affaire de choix ? N'a-t-on d'espérance que lorsqu'on vit les figures imposées d'une succession de contraintes ?

*

Voici donc le résumé de mon passage en ces lieux, de la courte vie d'Odile Soulez : la terrasse où elle interrogeait le destin n'est plus qu'un large trou, et la maison est fermée de haut en bas. Il me semble que, comme un gros insecte rageur, l'excavatrice s'acharne contre ses fondations et que la belle demeure va tomber en poussière, comme on voit, à la télévision, s'effondrer les tours des cités maudites qu'on dynamite par impuissance à y vivre. Mais la Forte-Haie, tous volets clos, a trop de noblesse et de solidité pour s'écrouler comme une cité de banlieue. Peut-être, toujours comme à la télévision, cette fois dans une publicité de luxe, va-t-on voir s'ouvrir d'un coup toutes les persiennes ? Alors apparaîtront à toutes les fenêtres, non des beautés sophistiquées, mais les visages de tous les gens à problèmes avec lesquels je fus ici enfermée, ou presque.

Comme j'aimerais entrer ! Aller, dans la demi-obscurité, derrière les jalousies, de pièce en pièce, en reconnaissance, même s'il n'y a plus un seul meuble. J'irais droit au bureau du Docteur, où trônait le téléphone, près des grands voilages croisés. Je trouverais la salle à manger où les repas semblaient toujours trop maigres et trop longs, avec ses tablées de malheureux prostrés ou excités, au coude à coude. Le Docteur présidait une table, et Josse l'autre. Puis Mme Edwige, à son retour des Diaconesses. Puis à nouveau Josse, car elle était trop lasse pour dépenser, à chaque repas, ce qu'il fallait d'attention et même de vigilance, tout en respirant la bonne humeur, en dépit de la « mobilisation de sa psychè » qu'elle pratiquait avec ardeur. Il devint vite évident, du reste, que cette énergique automédication de l'esprit qu'elle s'infligeait pour éloigner la mort et défendre tous ses organes contre une attaque subreptice la rendait imperméable aux angoisses imaginaires des malades comme aux pleurnicheries des déprimés.

L'homme à l'excavatrice, très absorbé, continue de jouer au sable avec son engin géant. Il ne m'a pas vue et j'oblique côté potager pour contourner la maison et chercher des yeux la petite fenêtre de la chambre mansardée que j'occupais, étant Odile, tout là-haut. Après mon excellent déjeuner de Compiègne, je suis là, alourdie par l'âge, capitonnée de graisse inutile, et pourtant, à contempler ce joli manoir clos, me revient, avant tout souvenir, l'idée fixe qui nous hantait tous, là-dedans, durant ces années 43-44 – tous, malades, personnel soignant et domestiques aussi bien : la nourriture. Trouver à manger. Manger à sa faim. Qu'est-ce qu'on mange, aujourd'hui, madame Daucourt ? Combien les vaches ont-elles donné ce soir, Anna ? Mais qu'est-ce que je vais leur mettre sur leurs plateaux du petit déjeuner, alors ? On voit bien que ce n'est pas vous qui les entendez rouspéter ! Qu'est-ce que vous venez fouiner à l'office, mademoiselle Odile ? Vous cherchez un peu de rab', pauvre jeunesse ! Ah, vous les trouvez moches, mes patates ! Mais dites-vous bien que c'est les dernières ! On fera pas la soudure ! Avec quoi on va la faire, la jointure ?

Terrible mois de mars ! Les provisions d'hiver sont

mangées, la forêt est blanche d'anémones comme s'il avait neigé, mais, au potager, rien encore. Et les bêtes sont à court de fourrage ou de graines. Ah, les bêtes ! Il fallait s'en occuper plus encore que des malades : les poules, les lapins, les trois moutons, les deux vaches, dont une avait le gros ventre. Seule Anna y connaissait quelque chose, mais elle le débitait dans un polonais volubile qu'elle haussait de dix tons si on lui faisait signe qu'on ne comprenait pas. Le Ch'tiot Père, absorbé par son potager, par la traque des taupes, par la lutte contre les doryphores, et j'en passe, n'en tenait que pour ses poules, mais alors avec un soin jaloux. Le Docteur ne lui avait-il pas dit que ce serait bon pour Reine, la petite bonne, sa fille, de gober un œuf cru de temps en temps ? Nous en étions venus à soupçonner le Ch'tiot Père de distraire, pour sa volaille chérie, du maïs ou de l'orge qui seraient bien bons à manger si on les cuisinait un peu. Mais bernique ! Nous ne trouvâmes que des vesces que nous fîmes bouillir des heures sans parvenir à les ramollir le moins du monde.

Chaque jour, le facteur apportait des paquets, toujours à demi défaits (on réutilisait les vieux papiers, gribouillés en tous sens, à chaque nouvel envoi, et ils partaient en lambeaux, tandis que les précieux bouts de ficelle noués et renoués maintenaient mal des boîtes en carton tachées de gras), que les familles envoyaient aux pensionnaires, ou plutôt à quelques-uns, toujours les mêmes. Ceux-là stockaient leurs provisions dans leurs armoires et surveillaient la femme de service quand elle faisait leur chambre. Une fois par semaine, le Docteur attelait une remorque à sa bicyclette et partait en tournée de marché noir dans la plaine, au-delà de Morienval. Mais, parfois, le marché noir venait à nous. Les bûcherons descendaient directement dans les cuisines, au sous-sol, quand ils avaient à vendre des lapins de garenne braconnés, ou, mieux encore, les « produits maison » de qui avait tué le cochon dans les parages. Ces occasions-là semblaient une fête : des rumeurs de boudins et de saucisses se répandaient bien avant que l'odeur n'eût attiré les dîneurs.

*

Nous n'imaginions guère que nos pires épreuves allaient venir d'une de ces aubaines fortuites. En l'occurrence, des rillettes faites à la ferme − on ne savait quelle ferme, ni où, ni quand, ni comment. On trouva seulement que trois boîtes, c'était court. La cuisine s'en réserva une. Avec chacune des deux autres, on fit de bien petites parts servies à côté de la salade sans huile. Au même repas, nous eûmes des champignons ramassés par les bûcherons. Le Docteur les avait examinés et humés avec la gourmandise d'un vrai connaisseur. Nous étions en septembre, après une forte chaleur suivie de gros orages. Le Docteur n'avait gardé que des cèpes (*boletus edulis*) et des bolets-bais (*boletus badius*) : un vrai régal !

Lorsque, dans les heures qui suivirent le repas, cinq ou six personnes de la table du docteur Josse commencèrent à se sentir mal et quelques-unes à vomir, tout le monde incrimina les champignons. Mme Edwige se plongea dans la bibliothèque mycologique de son époux et lui fit la lecture des différents symptômes des intoxications. Le Docteur, lui, se défendait comme un beau diable. Il criait même, comme un innocent accusé de meurtre. Finie la diction soignée, mesurée, molletonnée du psychiatre attentif aux autres et maître de soi. Ses dénégations, mêlées de forts jurons, s'élevaient dans la cage du grand escalier. Jamais, jamais il n'aurait laissé passer une amanite phalloïde, ni un clitocybe du bord des routes, ni un entolome livide, encore moins un bolet Satan !

Déjà, je n'écoutais plus cette grande querelle. J'avais commencé de monter, ma bouche était très sèche, je pensai aller boire à l'infirmerie du premier. Le docteur Josse me ramassa au moment où je m'effondrais et me porta à demi dans ma chambre. Je réclamais à boire, à boire... Il m'enfonça deux doigts dans la gorge, très profond, et je vomis tout ce qui me restait encore dans l'estomac. Sans doute m'a-t-il sauvé la vie en agissant aussi vite. Déjà, il m'avait quittée pour aller faire vomir les autres. Je tombai sur le plancher de ma chambre. Je ne repris connaissance qu'à l'instant où l'eau débordant du lavabo, bouché par la bouillie que j'avais régurgitée, coulait dans mon cou. Je n'ai jamais rien fait de plus difficile que de me relever et me débattre avec ce lavabo nauséabond qui ne voulait pas se vider. J'avais toujours la bouche sèche et même brûlante. Je crois que quelqu'un est venu, qui m'a déshabillée et couchée. Des heures et des heures plus tard, en pleine nuit, je me suis éveillée, la bouche ouverte et desséchée au point de ne pouvoir bouger ma langue. J'entendais marcher sur le palier. J'ai fini par allumer. J'ai voulu boire. Je me suis vue dans la glace du lavabo : j'étais double. Deux visages blancs à la bouche ouverte comme les figures de pierre des fontaines qui ne crachent plus d'eau. J'étais deux, l'une près de l'autre. J'essayai de superposer mes deux images, en louchant si nécessaire, mais je n'y parvins pas. J'ai mouillé mon visage, humecté ma bouche. Je suivais dans la glace mes mouvements dédoublés. Je savais bien que je n'étais pas morte et que j'étais atteinte de diplopie, mais c'était comme si j'étais faite de deux spectres légèrement décalés, à demi transparents. La lumière me blessait. Mes quatre pupilles restaient dilatées, noires, mangeant l'iris. Mydriase. Mydriase... On dirait un nom de nymphe. J'ai plongé la tête dans le lavabo, sous le robinet, pour boire. L'eau entrait dans mes narines et emplissait ma bouche, mais je ne pouvais avaler. Ma gorge totalement desséchée ne savait plus déglutir.

Je suis sortie de ma chambre, dans ma chemise de nuit trempée, les cheveux dégoulinants. N'avais-je pas entendu des pas et des voix sur le palier ? Je ne voulais pas mourir seule. J'ai aperçu de la lumière derrière une porte entr'ouverte. J'ai poussé la porte. Tout ce que je voyais était dédoublé. Des bougies allumées deux par deux, quantité de bougies allumées sur les meubles, partout, et le docteur Josse dédoublé, assis, penché en avant, un mouchoir sur la tête. Il a prestement remis le mouchoir dans sa poche et tendu les mains vers moi. J'ai voulu dire : « Je vais mourir ! » mais, pour prononcer le « m », mes lèvres se sont scellées l'une à l'autre, sèches mais collantes. J'ai fait un effort surhumain pour les disjoindre. Josse m'a prise par les épaules et quand il m'a fait pivoter doucement, j'ai vu le vieux M. Thibert couché sur son lit, entouré de bougies, et bien mort. J'ai essayé de dire : « Mort ? Mort ? », en conservant la bouche ouverte, sans rapprocher mes lèvres cartonnées, gluantes. Le docteur Josse a dit : « Oui. Mais il était vieux. Pas vous. Vous ne mourrez pas. » Il racontait n'importe quoi. Je savais bien que j'allais mourir, mais je ne savais pas comment. Je n'aurais pas de bougies autour de moi, parce que les bougies étaient rares. Le docteur Josse avait dû les chiper à l'office. On les gardait pour les jours de panne ou de coupure de courant. Mme Daucourt les comptait.

Le couloir m'apparut tout à la fois d'un noir profond et parsemé de bougies volantes à la flamme rosée, qui me restaient dans les yeux. C'était ainsi, la mort. J'allais mourir là même où mes parents m'avaient mise à l'abri. Pauvres parents! J'allais mourir sous une identité d'emprunt. Olga Stoliaroff vivra encore, que je serai déjà en train de pourrir... J'ai éteint la lampe de ma chambre qui éblouissait mes pupilles dilatées, et j'ai laissé la porte ouverte comme pour pouvoir appeler Maman dans le noir. Pourtant, je ne pouvais déjà plus parler, à cause de ma langue raide et râpeuse. Je pouvais seulement vocaliser mes cris et faire « non! » de la tête. Comme Paul à la bouche ensanglantée avait secoué la tête face à son père. Nous allons tous mourir, Paul, sans rien dire, sans pouvoir rien dire, sans avoir rien à dire, sans rien laisser derrière nous, ni enfant, ni œuvre, ni trace, inutiles et jeunes, inutilement jeunes, à côté de nos vies.

*

Il paraît que le Docteur, hanté par le souvenir trop sollicité du panier de champignons qu'il avait trié, laissant derrière lui le navire et ses victimes effondrées ou vomissantes, avait mis dans sa voiture la totalité de sa réserve d'essence pour partir à la recherche d'un toxicologue. Il ramena de je ne sais où un petit Indochinois à la voix fluette qui nous examina tous à sa manière. Il m'ordonna de me lever et de faire les marionnettes : « Comme ça ! » Et il tournait ses deux mains fines. Je fis deux petits tours et puis mes bras de plomb retombèrent, et le petit « Nguyen quenn'que chose » me rattrapa d'une poigne d'acier alors que je m'effondrais. J'ai utilisé ce truc plus tard, dans les camps de réfugiés du Sud-Est asiatique ou d'Afrique centrale, quand je n'avais pas de Vaquez. Il palpa mon abdomen, dur comme un bouclier sans que je fisse rien pour le contracter. Il me tendit un verre à boire. Je ne voyais plus ce qui se trouvait trop près de moi et tâtonnai pour le saisir. L'eau irrigua ma bouche, créant une boue visqueuse, puis s'écoula sur mon menton et dans mon cou. Je ne pouvais toujours pas déglutir. Que me dirait cet inconnu s'il savait que j'étais prétendument née à Saigon ? Il tambourinait mon ventre dénudé et commentait : « Attention aux lavements ! Elle risque de ne pas les restituer. Tout ça est paralysé. Si ça dure, il faudra retirer les matières. Je vous expliquerai. Et il lui faudra des lunettes de presbyte pendant un bout de temps. On la met au goutte-à-goutte. Allez, ça ira ! » Je n'allais pas mourir, mais on allait me « retirer les matières » de l'anus : comment ?

C'est Josse qui m'installa le goutte-à-goutte. « Hélas ! je ne peux pas vous le laisser très longtemps, car nous n'en avons pas assez, avec tous ces déshydratés. Mais vous êtes sauvée, ma petite Odile ! Pas d'amanite phalloïde ! Pas du tout ! C'était une vraie saloperie dans une

des boîtes de rillettes : le *clostridium botulinum*, le botulisme, quoi! J'avoue que je n'en avais jamais vu! Il dit
qu'il aurait fallu gober des œufs crus tout de suite, ça
fixe la bactérie. »

Josse m'apporta des lunettes – celles de M. Thibert,
le défunt –, pour voir si elles me permettaient de mieux
voir. Eh oui, elles m'allaient... Je contemplai mes mains
à travers les lunettes du mort. Josse reprit : « Maintenant, je vais me cacher, car on attend les gendarmes
pour l'enquête. Savez-vous qu'on n'arrive même pas à
savoir qui les a faites, ces maudites rillettes! Si ça se
trouve, d'autres boîtes tuent d'autres gens! Moi, ma
religion m'a sauvé! Vous avez remarqué que je ne
mange pas de porc, même quand il n'y a rien d'autre?
Le Seigneur m'a sauvé! Qu'avez-vous à répondre à cela,
petite goy? »

Je cherchai dans ma mémoire quelque imprécation
de l'Ancien Testament, du genre : « Je dessécherai la
langue des méchants! », et trouvai l'Éternel bien sévère
et surtout bien injuste. Je ne savais pas que les Juifs ne
mangeaient pas de porc. Je croyais que c'étaient les
musulmans, les « mahométans », comme disait Mémé.
Mes camarades juifs, me semblait-il, adoraient le saucisson tout comme les autres, du temps où il y avait du
saucisson. Mais peut-être n'avais-je pas fait attention.

Par la suite, ma langue s'est couverte d'une croûte de
papilles desséchées que je râclais avec un bâtonnet. Dans
la glace du lavabo, je n'étais guère séduisante, avec les
lunettes du mort qui me tombaient sur le nez, en train
de me gratter la langue. Sous les croûtes, c'était rouge-
sang, à vif. Mme Edwige m'avait donné une pêche –
« parce que c'est assez doux » – pour cautériser ma nou-

velle muqueuse. Je sens encore, en y repensant, le feu intolérable au centre de ma bouche. Après ma langue, mes pieds se desséchèrent au point d'éclater en dizaines de petites crevasses sanguinolentes. Les pieds bandés, traînant les pantoufles de feu M.Thibert, j'ai dû me remettre à travailler assez vite, car Mlle Puech, très atteinte, ne se levait toujours pas, et Mme Edwige, elle, s'était recouchée après une semaine d'efforts inconsidérés. Elle avait fini par glisser dans l'escalier de pierre de la cuisine, et s'était luxé l'épaule. C'est à moi qu'il revint de retaper son lit et de la coiffer. Je ne pouvais encore manger solide, mon gosier resté à demi paralysé ne me permettait que les potages passés, très péniblement déglutis. Jamais je n'ai été si mince, ni si faible. Trois coups de brosse à la chevelure emmêlée de Mme Edwige me laissaient étourdie. Même pour lui faire une natte, je devais m'y reprendre à dix fois et reposer mes bras, car les lever me faisait tourner la tête. Je me rappelle avoir lâché sur le plancher ses épingles neige : à quatre pattes, les lunettes du vieux me glissant du nez, je ne parvenais pas à les retrouver, encore moins à me relever. L'aveugle et la paralytique...

Nous avons fini par prendre un fou rire, toutes les deux. « Ma pauvre Odile, votre état civil est faux, votre état physique délabré, il ne vous reste que votre état mental intact! Préservez-le! » C'était provisoirement la réponse au problème du « moi ». Je n'étais plus que ce que j'avais dans la tête, un pur esprit, une pensée. Même mes élans amoureux n'avaient pas résisté au botulisme. Ils ne me visitèrent, plus intenses que jamais, que vers la fin octobre, quand jaunirent les hêtraies et que mon appareil digestif consentit à reprendre ses

119

fonctions involontaires. On prétend que les pendus éprouvent un orgasme ; la paralysée du gosier que je fus ne ressentait rien de tel. Mais je n'ai pas été déstabilisée comme Paul m'avoua, plus tard, l'avoir été durablement. C'est que je ne me débattais pas dans l'absurde horreur des camps. J'étais dans la maison du Bon Dieu, où l'on mourait entouré de bougies.

VII

Après avoir vainement tenté d'attirer l'attention du grutier pour lui demander ce qui allait sortir du trou qu'il faisait là, j'ai quitté la Forte-Haie et repris en voiture la belle route agrandie qui monte vers Boismenil à travers la hêtraie. Au dernier tournant surgit un village de carte postale que je ne reconnais pas. Maisonnettes proprettes, coquettes, fleuries jusqu'au grenier, parées pour un concours. Plusieurs ont été grattées pour retrouver la belle nuance coquille d'œuf du calcaire tendre. La haute église elle-même, une pelouse à ses pieds, a été réhabilitée avec un soin jaloux. Chapeautée de neuf par des couvreurs émérites, elle a perdu l'air dépenaillé que lui donnait un toit d'ardoises troué par l'âge où le soleil animait des reflets violâtres. Quelques maisons bien léchées – résidences secondaires? – ont les volets clos, mais un air prospère. Autrefois, le village n'était-il pas uniformément gris? Nous y montions en promenade, les malades et moi, pour échapper à la solitude collective de la Forte-Haie, poussés par la nostalgie des villes, des rues, des boutiques, des gens anonymes autour de soi qui rassurent et réchauffent. Chacun trou-

121

vait prétexte de quelque chose à acheter pour prendre le chemin du seul magasin à cinq kilomètres à la ronde : la buvette-épicerie de Boismesnil. Déjà, du dehors, on percevait un brouhaha de voix qui attirait comme un bon feu. En s'ouvrant, la porte déclenchait un carillon à deux notes et laissait échapper une grosse bouffée de chaleur humaine avinée et de fumée de tabac. Les plus hardis de ma triste troupe interdite d'alcool entraient chercher des timbres et regardaient bûcherons et charretiers accoudés au comptoir devant leurs petits verres. Bûcherons et charretiers se retournaient pesamment, touchaient leurs casquettes, puis regardaient à leur tour mes malades sans plus mot dire.

Souvent, nous allions à la mairie apporter au Docteur, requis par ses fonctions de maire, les cahiers en papier récupéré que nous confectionnions, les cordelettes de chiffons que nous avions tressées pour je ne sais plus quel usage, ou un plaid en carrés tricotés avec toutes sortes de laines, à l'intention d'une vieille du village ou d'une jeune maman. Pour aller à la mairie, on passait devant une maison abandonnée, fenêtres béantes sur son carrelage brisé parsemé de tessons. Il me prenait des envies un peu scoutes de me la voir confier : j'aurais voulu y faire un chantier pour les malades. Nous l'aurions rafistolée et récurée avec les moyens du bord, pour rien, pour le plaisir, par ces temps de destruction et de ruines. Je crois même qu'il en fut sérieusement question, car le Docteur approuvait mon idée de chantier, bien dans l'air du temps. Mais, bientôt, je pus partir rejoindre mon réseau, caché dans d'autres bois, à proximité de dix poudrières. Je serais bien en peine, aujourd'hui, de retrouver laquelle de ces maisonnettes bichonnées fut la masure que je souhaitais retaper.

*

Comme je m'avance vers la mairie, embellie de rosiers grimpants, fleurie de géraniums rouges à toutes les fenêtres, une femme en sort, qui referme la porte à clef. Je me précipite. Elle se retourne à ma voix, mais enfouit les clés dans la poche de sa blouse.

« Mais non, madame! La mairie est fermée. Moi, j'ai été arroser les plantes et faire les poussières, mais je peux pas vous ouvrir. Vous voyez bien que les jours et les heures sont affichés. Revenez à cinq heures et demie, M. Billot sera là. Mardi, jeudi, et le samedi matin, c'est écrit là! Qu'est-ce que vous lui voulez, à M. Billot?

– C'est le maire?

– Mais non, c'est le secrétaire de mairie. Le maire, c'est Mme Feuillade, mais elle est âgée, elle vient pas à toutes les permanences, on lui téléphone si on a besoin. Le samedi, c'est elle en personne.

– Mais elle m'a écrit, elle m'a convoquée! Je suis venue de Paris... Moi aussi je suis âgée, je ne peux pas attendre deux heures comme ça...

– Convoquée? Mais pour quelle heure? Vous avez un papier? C'est pour la location? C'est pour les impôts? Vous avez une maison par ici? Pas au village, en tout cas. A Saint-Edme? à l'Écart?

– J'habitais à l'Écart, oui, il y a longtemps. »

A peu de chose près, cette femme a mon âge. Je sens qu'elle se dit la même chose. Mais nous n'avons jamais été à l'école ensemble. Elle fronce son petit front sur lequel s'avance assez bas la pointe parfaite d'une épaisse chevelure blanchissante, comme une coiffe lisse. Ses

123

deux tout petits yeux bleus très clairs, comme on en voit à certains canards, semblent à l'affût dans une face rose, large du bas, qu'on imaginerait bien posée sur une fraise amidonnée. Y a-t-il un type picard? Cette dame aux yeux bien gardés devrait s'appeler Prudence, cela lui irait à merveille. En tout cas, j'ai beau fouiller mes souvenirs, je ne pense pas l'avoir jamais vue, avec sa plantation de cheveux en as de cœur.

« J'ai habité à l'Écart, à la Forte-Haie, du temps où la Forte-Haie était une clinique.

— Pour sûr que c'est une clinique, mais elle est fermée, parce qu'ils l'agrandissent. Ça sera fort grand... Vous avez été soignée là? Puis vous voulez acheter une maison dans le coin? »

Les tout petits yeux d'eau claire me jaugent : « Encore une *dingo* qui veut se trouver une maison par ici... Quand elle saura les prix... » Mais j'ai récupéré dans mon sac la lettre de la mairie de Boismesnil qui, bien sûr, ne précisait pas de rendez-vous. J'aurais dû téléphoner, au lieu de me précipiter comme cela. Il va me falloir attendre deux heures, où? J'irai en forêt, j'irai au cimetière où le Docteur et Mme Edwige ont peut-être été enterrés.

« Voilà ce que j'ai reçu. »

« Prudence » prend le papier, sort ses lunettes de sa poche, se met à lire. Je ne m'attendais guère à son explosion :

« Mais alors! Mais alors! Vous êtes une des Juifs! C'est formidable! Vous comprenez, je suis la belle-sœur à Mme Longequeue, c'est vous dire! Ah là là! J'en connais une qui va être heureuse! Ah, cette histoire avec les Juifs! Ça leur a fait tant de misère! Vite, venez avec moi, faut qu'on lui dise ! Vous êtes la première qui vient ! Mais ça rendra pas la vie à son pauvre père, que ça lui a gâché sa mort, d'être tout le temps soupçonné, disputé, menacé, et de chercher et de creuser comme ça ! C'est sa tombe qu'il creusait ! Le pauvre, ça lui avait tapé sur le ciboulot ! »

Elle crache tout ce discours entre deux trots, car elle trotte, ma lettre à la main. J'essaie de suivre, et, surtout, d'interrompre :

« Mais, madame, je ne sais pas de quoi vous parlez... Je ne connais pas Mme Longequeue, ni son père, ni de quoi il est mort... Je ne l'ai jamais soupçonné de quoi que ce soit, et je ne suis pas juive ! »

Ma Picarde s'arrête net, relit la lettre et me regarde par-dessus ses lunettes.

« Mme Olga Stoliaroff, c'est bien vous ? C'est pas un nom juif, ça ?

— Non, pas du tout, mais alors, pas du tout ! Si mon père vous entendait !

— En tout cas, c'est pas français, c'est ça qui m'a fait croire... Combien de temps vous êtes restée à la Forte-Haie ?

— Presque une année : juillet 43 à juin 44. J'y étais infirmière...

— Alors vous les avez connus, c'est sûr ! Vous avez connu ma belle-sœur : son nom de jeune fille, c'est Gasparin ! »

Elle repart au trot. Nous voilà l'une derrière l'autre, deux fortes femmes de plus de soixante-dix ans qui courent, tout essoufflées — le comble du ridicule ! Je cale, je crie : « Attendez ! Rendez-moi ma lettre ! » Mais Prudence est lancée. Ma convocation à la main, elle ne s'arrête que devant un jardinet débordant de roses, derrière lequel une fenêtre est ouverte au soleil.

« Reine! Reine! C'est moi, Thérèse! Viens vite! Regarde qui je t'amène!

– Votre belle-sœur, c'est Reine, la petite qui faisait les chambres, dans le temps, à la clinique, la fille du Ch'tiot Père, le jardinier? Je ne savais même pas qu'il s'appelait Gasparin, tout le monde l'appelait " Ch'tiot Père "...

– Oui, " Ch'tiot ", en picard, c'est le petit! C'est qu'il n'était pas grand, son pauvre père, à Reine! »

*

S'encadre dans la fenêtre une femme incolore et sans âge, fluette mais sans doute infatigable en dépit de sa pâleur et de ses poches sous les yeux. C'est bien Reine, la petite bonne de la Forte-Haie, celle à qui je donnais des vêtements pour qu'elle me prêtât sa bicyclette les jours où j'allais à Paris. Voici donc le passé en chair et en os. Je l'aurais reconnue entre mille à un signe clinique que découvre aujourd'hui son corsage échancré : des cicatrices d'abcès froids, dans le cou, qui m'avaient fort impressionnée autrefois. C'était alors le type même de l'adolescente malingre qu'on qualifiait, dans les vieux manuels, de « chlorotique », empêchée de respirer par le nez à cause de végétations jamais opérées, et donc toujours la bouche ouverte et l'œil terne, comme un poisson mort. Elle pouvait avoir seize ans, à l'époque. Elle faisait tout en traînassant, la pauvrette. Elle mettait du temps à comprendre et encore plus à exécuter. Eh bien, elle avait duré, sans trop s'user. Elle qui n'avait jamais

eu de fraîcheur de jeunesse, hormis ses beaux cheveux
dorés, elle n'avait guère de fripure de vieillesse, et le
coiffeur lui fabriquait de la blondeur, plus brillante et
plus ondulée. Elle avait donc trouvé un mari, Reine,
devenue Mme Longequeue. Un nom pareil ne peut être
qu'authentique. Sans guère de poitrine et sans du tout
de hanches, avait-elle réussi, elle, à faire un ou des
enfants ? Était-elle grand-mère, alors que je finissais
seule et sans trace ma portion de vie que j'avais crue tellement plus riche et plus pleine ?

La belle-sœur pousse un portillon orné d'une plaque :
Michel Longequeue & fils. Entretien de jardins, pelouses,
taille de haies. Que « fils » soit un singulier ou un pluriel, qu'importe ! Reine a fait souche, comme on dit,
alors que moi, Tante Olga, je pense au cimetière russe
de Sainte-Geneviève-des-Bois où Papa avait acheté un
caveau pour son père, ce qui ravissait Babouchka
comme si on lui avait rendu son pays bien-aimé où elle
reposerait bientôt ; je pense au caveau que j'ai loué à
perpétuité pour Maman, à Saintes, où Papa est enterré,
où j'irai les rejoindre, promis, juré. Les Nicolas, eux,
iront là où ils voudront, moi je reposerai auprès de mes
parents à qui j'ai causé tant de soucis du temps que
j'étais foldingue. Fille sans enfants, il me revenait, par
délégation tacite, de m'occuper des mourants, des
morts, des enterrements, des rangements *post-mortem.*

« Reine ! C'est rapport aux cantines de la Forte-Haie !
Cette dame vient chercher ses papiers ! »

Mes papiers ? Quels papiers ? Toujours lente, toujours
bouche ouverte, Reine quitte la fenêtre et ouvre la
porte. Ce n'est qu'en me faisant face, sur le seuil, qu'elle
a une manière de sourire entendu :

« Ça, c'est mademoiselle Odile, pas vrai?

– Vous m'avez reconnue?... Vous, vous n'avez pas trop changé, mais moi... Depuis le temps! A quoi m'avez-vous reconnue?

– De toute façon, de ce temps-là, il n'y avait guère que nous deux, de jeunesses, à la clinique. Les autres, ou ils doivent être morts, ou ils sont fort âgés ! C'est ce que j'ai dit aux gendarmes : "Vous ne retrouverez plus grand monde. A part Mlle Odile, et peut-être la pauvre folle toute nue du second, si on survit avec des maladies comme ça. Pour les autres, la professeur, le docteur Josse, le grand Roger, c'est des gens ou très âgés ou bien morts. Quant à ceux qui nous ont tellement tourmentés, ils sont morts, sûr ! C'est leurs enfants qu'il faut retrouver ! Entrez, Mademoiselle Odile ! Vous permettez que je vous appelle encore comme ça? Je ne me rappelle plus votre vrai nom, que j'ai vu sur votre carte d'identité. Ah ça, je vous ai tout de suite reconnue, sur votre carte ! J'ai dit aux gendarmes : " Ça, c'est Mlle Odile, l'infirmière ! " Franchement, y en a pour qui on pouvait se douter, mais vous, j'imaginais pas que votre nom c'était pas votre nom ! Vous aussi, vous étiez juive? En tout cas, vous n'avez pas fait d'histoires à la Libération ! Vous êtes jamais revenue, pas vrai? Même quand le Docteur a été tué. Tout le pays était à son enterrement. Vous prendrez bien quelque chose? »

Chez Reine, fille de jardinier, femme de jardinier, mère de jardinier, le mobilier est ce qu'on pourrait appeler du « rustique flamboyant », bien astiqué, faux et prétentieux. Même les prétendues bassinoires de cuivre ont été choisies sur un catalogue de vente de pacotille par correspondance. Dans ce décor trop coquet, il n'y a d'authentique que la naïveté touchante de ceux qui l'ont arrangé. Reine doit éprouver une joie profonde, jour après jour, à faire le ménage pour elle, chez elle, dans sa maison, parmi ses meubles. Elle les aime sûrement, ces meubles qu'elle caresse quotidiennement avec son chiffon. Elle mesure le chemin parcouru depuis la chambre de bonne, dans les communs de la clinique, séparée par une bien mince cloison de la chambre de son père veuf, « placé » tout comme elle, son père qui lui faisait la honte de coucher avec cette grande jument d'Anna, la Polonaise, et de ne s'en point cacher. Ils étaient la fable des cuisines. Elle-même n'était que la petite souillon à qui on faisait monter les escaliers pour un oui, pour un non, celle que lutinaient certains malades quand elle venait faire leurs lits. J'observe les meubles faux bretons ou faux basques, je ne sais, de Reine, cirés, polis, et les photographies disséminées un peu partout – beaucoup de bébés de générations différentes, les enfants en noir et blanc, les petits-enfants en couleurs. Dans un coin, sur des rayonnages de bois blanc, des engrais pour rosiers, des « bombes totales » contre les maladies, le blanc, le marsonia et autres saloperies, des sacs de tourbe comprimée, du désherbant en poudre, en granulés, en liquide concentré – ce qu'il faut pour dépanner les clients.

Tout ce qui vient d'être dit, je l'ai entendu, sinon compris : les cantines, les gendarmes, les Juifs, ma carte d'identité, ce pauvre Ch'tiot Père qui creuse à en crever... Je sais bien que je touche au but. Mais ne suis-je venue ici que pour résoudre une énigme, ainsi qu'on voit ces automobilistes adeptes de rallyes qui vous arrêtent au bord des chemins et vous demandent, un papier à la main, le nom du prisonnier qui s'est évadé du château en 1784 ou celui de l'auberge tenue par le grand-père d'Alexandre Dumas?

Pour lors, tandis que Reine dispose de petits verres à madère, Odile Soulez se réinstalle en moi, confuse d'être partie comme ça, au pied levé, dit-on, et de n'être jamais revenue.

*

« Le Docteur, est-il enterré ici? Et Mme Edwige?

— Tous les deux, oui. C'est vraiment dommage que vous ne soyez pas venue. Je vous assure, ici, jamais on n'a vu autant de monde au cimetière, et les deux fois! Les deux fois pour lui, parce qu'on a fait deux cérémonies... Il y a d'abord eu son enterrement, avec nous tous et beaucoup de monde de partout, autant qu'il pouvait en venir dans ces moments-là, sans transports. Et puis, un peu plus tard, après la Libération, ils sont tous revenus, le pasteur et les autres, mais aussi le préfet, le sous-préfet, les FFI, des officiers, des régiments! Mme Edwige, assise, était là. Vous n'imaginez pas : des drapeaux, des discours, des clairons! Sa tombe n'était pas encore faite, c'était que de la terre retournée avec une croix : ils y ont accroché des couronnes, des décorations, des insignes, des fleurs! Après, elle lui a fait une tombe en marbre, puis elle est morte presque aussitôt, comme si elle n'attendait que ça, que la tombe soit finie. Sur cette tombe, on a disposé toutes les médailles, les rameaux en bronze, les vases... Vous ne me croirez pas, mademoiselle Odile, mais, par la suite, on lui a tout volé! Avec les années, en plus, les mauvaises herbes s'y

130

sont mises. Enfin, c'est une misère... Il faudrait que vous y veniez, pas vrai? Il m'arrive souvent d'aller y mettre un peu d'ordre, un pot de fleurs au 1ᵉʳ Novembre. Parce que c'était quand même un homme qui avait été très gentil avec Papa, après la mort de ma mère et mon frère prisonnier. Il nous avait pris tous les deux. Sûrement que jamais Papa ne lui aurait fait des ennuis. Papa leur a bien dit : " Cet homme-là, il voulait tout prendre sur lui, il faisait tout tout seul ! La preuve, c'est que sa femme elle-même ne savait pas ce qu'il en avait fait, de tout ce fourbi ! " A son deuxième enterrement, quand il y a eu la cérémonie, ceux qui ont fait les discours, ils l'ont tous dit, qu'il portait de lourds secrets, mais qu'il ne disait jamais rien ! »

J'irai sûrement sur la tombe du Docteur et arracherai les herbes folles, faute d'y replacer les plaques et les médailles que, dans les semaines exaltées d'après la Libé-ration, les chefs très provisoires de l'Armée secrète avaient éprouvé le besoin d'y déposer en hommage.

*

A la mi-septembre 1944, j'avais connu le même genre de cérémonie dans le Loiret : tous les survivants du maquis, dépenaillés ou élégants avec leurs brassards de vainqueurs épinglés à la manche, le préfet, le sous-préfet, les édiles des environs, quelques militaires venus on ne sait d'où pour la sonnerie aux morts, un général « naphtaline » qu'on nous avait envoyé alors que tout était fini, un capitaine qui avait vu le commandant qui avait vu l'aide de camp du général Leclerc, la population civile, paysans, gardes-chasses, vieilles Solognotes en noir, et ma Denise retrouvée et moi, main dans la main, – tous au garde-à-vous devant le monticule de terre couvert de fleurs coupées et planté de drapeaux sous lequel reposaient, dans l'attente d'un monument digne de leur sacrifice, les restes de nos jeunes fusillés de juillet, arrachés à la fosse où les avaient jetés les Allemands, les restes déchiquetés d'un vieux chef de district, en principe démineur, qui avait sauté avec la poudrière qu'il tentait de préserver, et puis deux corps non identifiés. A moi, ceux-ci étaient devenus presque intimes, car c'est moi qui les avait trouvés dans les bois, en plein midi, sous les mouches. C'est à moi qu'on avait demandé d'examiner leurs blessures, de rédiger un rapport, de les laver, de les coiffer, de bander la mâchoire fracassée du plus jeune, de les mesurer, de les photographier *in situ*, puis seulement le visage, yeux clos, face et profils. Dès la libération du village, le photographe en avait fait des tirages que j'avais collés sur une affiche où j'avais écrit presque avec amour :

POUR IDENTIFICATION : *n° 1, environ 40 ans* (je ne savais pas donner d'âge précis à un adulte...), *1,70 m, cheveux brun foncé, yeux bruns, cicatrice en étoile à l'épaule gauche ; n° 2, 20-22 ans, 1,74 m, cheveux châtains, yeux noisette, une incisive supérieure légèrement cassée. Abattus le 22 août au matin sur le chemin du Télégraphe. Leurs papiers ont disparu. Leurs vêtements et les objets trouvés dans leurs poches peuvent être vus sur demande à la mairie de La Ferté.*

Dans la poche de pantalon du plus jeune, j'avais trouvé seulement un morceau de pain. Avait-il moisi ou rassi par la suite? Passée dans sa ceinture, à même la peau, était glissée une carte Michelin de la région. Le plus vieux portait une alliance que j'avais eu bien du mal à lui ôter. Quand je l'avais découvert, sa main droite était crispée sur un grand mouchoir blanc déployé. Pourquoi? Nul ne le saurait jamais. A l'époque, nous nous battions encore, car les Allemands, bien qu'encerclés par les troupes alliées, refusaient de parlementer avec nous et, bien entendu, de se rendre à des « terroristes ». Durant ces ultimes journées que notre impatience et notre exaspération rendaient si dangereuses, brandir un chiffon blanc était considéré comme une infamante lâcheté. Mais, après tout, drapeau blanc ou pas, l'homme au mouchoir avait reçu une rafale de mitraillette en pleine poitrine : de face. Je lui avais donc rendu son honneur en ne faisant figurer son mouchoir que dans la liste des objets retrouvés dans ses poches – deux clés, un demi-paquet de Gitanes maïs, un porte-monnaie contenant 7,50 F, un petit morceau de « vrai » savon roulé dans un papier blanc.

Dans le grand désordre cafouilleux et l'incroyable liesse qui avaient suivi la reddition tant attendue, cette fois réelle et définitive, des Allemands coincés dans notre « poche » – reddition aux Américains, pas à nous qu'ils avaient tirés comme du gibier jusqu'à la dernière minute –, j'avais oublié mes inconnus. On était trop occupé à arrêter les traîtres, à réquisitionner les stocks trouvés chez l'épicier accusé de collaboration, à danser le soir dans tous les petits bals foufous, sous les guirlandes, au son de l'accordéon ici, de violons là, d'un pianola ailleurs. A la veille de la cérémonie prévue pour nos morts, ils n'avaient toujours pas été identifiés. Je préparai un dossier pour la Croix-Rouge et demandai qu'on les enterrât avec nos héros. On les appelait « les tués d'Olga ».

C'est que, là-bas, j'étais tout naturellement redevenue Olga parmi mes camarades retrouvés, même si mes papiers étaient toujours ceux d'Odile-Geneviève-Marinette Soulez, née à Saigon. Je n'avais besoin d'aucun papier, là-bas, pour attendre les parachutages, la nuit, près des étangs. J'avais donné ma fausse carte d'alimentation à la femme du garde-chasse chez qui je logeais avec Denise. A l'arrière de sa maison, nous avions installé un petit poste de secours dans une remise hélas contiguë à la cage où il enfermait des putois. Une nuit, je les avais relâchés dans la nature, mais leur odeur tenace subsistait et formait, avec l'éther dont je me servais pour nettoyer les petites plaies, un amalgame parfaitement écœurant. Heureusement, nous n'eûmes guère de blessés ; les entorses, je les soignais dehors, dans les bruyères.

*

Qu'avais-je fait, par la suite, des faux papiers que m'avait remis le docteur Edwige ? Une chose est sûre, c'est que je ne les ai jamais retrouvés. Peut-être les ai-je moi-même jetés au panier, le jour où j'ai réuni tous les documents d'état civil nécessaires pour signer sous mon vrai nom mon engagement dans les services de santé de l'Armée, en octobre 1944 ? Les ai-je remis aux camarades de mon mouvement qui, après la Libération, délivraient des états de service pour la Résistance dans de superbes locaux réquisitionnés à quelque banquier collabo, derrière des bureaux jonchés de cartes barrées de tricolore et de tampons à croix de Lorraine ? C'est possible, car un de mes certificats de résistance est établi au nom de Stoliaroff, Olga, *alias* Soulez, Odile. Qu'avaient-ils à faire de mes faux papiers ? Ils ne les collectionnaient pas et, sur les preuves de résistance active, certains, hélas, n'étaient pas très regardants...

Pour Reine je suis toujours Mlle Odile, mon *alias* d'autrefois. Elle vient pourtant de dire qu'elle a vu, de ses yeux vu ma véritable carte d'identité parmi tout le « fourbi » caché par le Docteur dans un endroit connu de lui seul. Avais-je donc remis au Docteur mes vrais papiers, ma carte Stoliaroff, Olga, Madeleine, née à Paris XIIᵉ, sur laquelle figurait une photographie tout à fait acceptable où j'affichais un air un peu penché, une lavallière au cou ? Et je n'aurais gardé aucun souvenir de cet acte de confiance extraordinaire, moi qui tenais tellement à mon nom ? Mon nom m'avait précédée dans la vie, et même le choix de mes prénoms, autant de souvenirs pour mes parents. Je l'habitais, ce nom qui me conférait une singularité dont j'essayais de me faire une personnalité. Du reste, je me rappelle fort bien la révolte, pour ne pas dire la rage dans laquelle je vécus mes premiers jours à Boismesnil, sans nom aucun, comme frappée d'impuissance. Ne pas sortir, ne pas téléphoner, parler le moins possible. Sans nom, j'étais privée d'existence. Je ne pouvais agir. Je ne pouvais vivre qu'à peine, à bas bruit. J'en voulais au monde entier, mais surtout à ceux qui, à mon sens, m'avaient trop protégée, s'étaient immiscés dans ma vie jusqu'à me dérober mon identité : mon père, ma mère – et le Docteur, leur complice. C'est tout juste si je m'étais laissée faire, en rongeant mon frein. Mais de là à remettre mes papiers à ce psychiatre à tête d'apôtre... Aurais-je pu oublier cette scène ? L'aurais-je refoulée ? Je n'ai jamais oublié combien je me sentais nue et vulnérable lorsque j'étais allée, en juillet 43, chercher à Paris, aux Diaconesses, mes faux papiers et mon faux diplôme. Je me rappelle si bien le long, si long arrêt du train en rase campagne, et la peur que j'éprouvai qu'il ne prît l'envie aux SD de contrôler tout le monde. Il me semble entendre encore le chuintement de la locomotive à l'arrêt. J'aurais voulu, sans nom ni adresse, être transparente, me dissoudre, cesser d'imaginer les interrogatoires...

*

Comme je n'avais gardé nul souvenir d'avoir remis au Docteur les preuves de mon identité, il ne m'était pas venu à l'idée de venir récupérer mon dépôt après la Libération. Revenir en arrière, à la Forte-Haie où j'avais porté le voile d'infirmière loin des combats ? Je n'y avais même pas songé à mon retour d'Orléans à Paris, à la fin septembre 44. Mon maquis avait été délivré avec grand retard, dans sa « poche ». Tous les ponts sur la Loire avaient sauté de l'Atlantique jusqu'à Cosne. Nous étions restés coincés entre Olivet et Vierzon avec quinze mille Allemands aussi dangereux que des taureaux épuisés et furieux. Les Américains les poussaient au sud, mais ils tenaient toujours, au nord, la Loire sous leur ligne de feu. Tous les jeunes émissaires que nous avions envoyés à Orléans s'étaient fait tuer en cherchant à traverser le fleuve par de trop claires nuits de pleine lune. Nous ne fûmes délivrés de ce guêpier qu'après la reddition de ces milliers de Boches à l'état-major allié. Par la suite, les Américains nous demandèrent de dresser un état de ce qui restait intact parmi les poudrières et magasins de munitions que notre maquis avait eu pour objectif de chercher à préserver. Hélas, malgré les efforts déployés par mes camarades, les Allemands étaient parvenus, avant de se rendre, à faire sauter plus de la moitié de l'usine dans un gigantesque feu d'artifice d'adieu en plein midi. Toutes les vitres avaient été brisées à trois kilomètres à la ronde et la suie de toutes les cheminées s'était décollée pour tomber en noires flaques molles sur les fourneaux à l'heure où les femmes, dans les maisons, préparaient le repas. Les jours suivants, calepins à la main, nous dûmes parcourir les décombres fumants, escaladant les merlons de terre qui protégeaient les poudrières, descendant dans les entonnoirs ouverts par les déflagrations, enjambant les engins qui n'avaient pas éclaté. C'était folie, peut-être, mais nous étions tellement excités de vérifier la réalité bouleversée de ce lieu impénétrable dont nous avions tant de fois étudié les plans dérobés ! Répandus un peu partout comme à la suite d'une éruption volcanique, les petits grains de poudre noire fumaient encore, de-ci, de-là, fusant parfois en de minuscules explosions. Les garnements du village venaient en ramasser d'intacts pour les mélanger au tabac à pipe de leurs pères. Le soir, je m'aperçus que les semelles de bois de mes sandales étaient toutes piquetées de brûlures.

*

J'étais décidée à rentrer à Paris pour savoir : le bruit avait couru dans notre maquis que Paul et les deux Jacques n'étaient plus au Cherche-Midi, mais avaient été « transférés » en Allemagne. Personne ne pouvait préciser l'origine de cette rumeur. Il fallait que j'aille voir les parents de Paul. On ne disait pas « déportés », à l'époque, mais « transférés ». On ne savait rien des camps de concentration. J'étais la seule de mes camarades à pouvoir rapporter des témoignages directs sur les regroupements de prisonniers politiques à Royallieu et les convois jusqu'en gare de Compiègne. Ces récits s'arrêtaient au seuil des quais vidés de tous témoins. Ils évoquaient un silence ponctué d'ordres gutturaux et d'aboiements de chiens, puis le lent ébranlement des wagons à bestiaux tirés par la locomotive vers le nord-est, le passage de ces mêmes trains clos dans d'autres gares, sans arrêt. Jamais nul n'avait entendu dire qu'un de ces trains eût été stoppé dans sa marche par un bombardement ou par un déraillement provoqué. Jamais nul prisonnier de guerre rapatrié parce que malade, jamais nul déporté du STO revenant en courte permission en France, jamais aucun n'avait vu ni entendu parler des prisons ni des camps où les Allemands retenaient les Juifs « déplacés » et les résistants « transférés » en Allemagne. Pour moi – comme, je crois, pour tous mes amis de mon âge –, l'Allemagne n'était pas un pays réel, avec des rivières et des collines, des habitants humains ; c'était un pays mythique, une sorte de royaume d'Hadès d'où ne revenait aucun de ceux qui y étaient retenus.

Pour savoir, il fallait rentrer à Paris. Je m'étais fait « démobiliser » par mes supérieurs FFI. Tout farauds d'avoir à remplir des papiers « officiels » signés de notre général « naphtaline », mes amis n'y étaient pas allés par quatre chemins : ils m'avaient fait un beau certificat aux termes duquel j'avais « *fait fonction de médecin dans une unité combattante* » ! Pour avoir bandé quelques chevilles et fait la toilette des morts... Cette exagération puérile, qu'ils croyaient sans conséquence, allait me servir.

J'avais dû attendre, pour partir, que fût jetée par-dessus la Loire une passerelle de bois qui rattrapait le moignon de pont restant du côté d'Orléans. Sur cet étroit ponton que le martèlement de leurs bottes faisait trembler, il fallut surveiller le passage des quinze mille prisonniers allemands que nous nous plaisions à considérer comme « nôtres » alors même qu'aucun n'avait jamais accepté de se rendre à nous. Leur défilé, je crois, dura deux jours. Il faisait un soleil de plomb près du fleuve, mais je ne me lassais pas du spectacle. Des vieux, des jeunes, des gamins même en *feldgrau*. Ils étaient déjà désarmés, mais, au passage, à l'endroit où ils devaient se mettre en file indienne pour descendre l'escalier de bois, un copain et moi prélevions sur eux un butin de guerre qui se révéla fructueux. Nous étions surtout friands de plaques de ceinturons gravées *Gott mit Uns*, de décorations, de casquettes d'officiers d'autant plus précieuses qu'elles étaient rares.

Je n'avais plus un sou vaillant. J'ai donc vendu mes trophées de guerre, d'abord aux bourgeois d'Orléans tout juste sortis de leurs caves, ensuite aux soldats américains : « *Souvenir... To take back home !* » D'abord contre du pain, du pain blanc. Aux premières bouchées de ce délice oublié, les larmes jaillirent de mes yeux. J'avais la bouche pleine – je ne pouvais les ravaler. Je n'avais pas de mouchoir – je ne pouvais les essuyer. Ils finirent par me frotter le museau comme à une petite morveuse, tandis que l'un me prenait en photo et que les autres se tordaient de rire sans avoir compris ni mon air extasié, ni mes larmes, ni la colère qui me saisit. Je voulus leur expliquer. Je cherchais péniblement mes mots en anglais et m'entêtais à dire *khleb*, en russe, au lieu de *bread*, et répétais : « *So delicious khleb!* » Ils n'en riaient que plus fort. Je me demande de quel récit fut accompagnée cette photo de moi, *back home*... Ensuite, j'ai troqué mes insignes allemands contre un bout de conduite. Comme il leur était interdit de prendre des civils français à bord de leurs véhicules, ils m'éjectèrent après m'avoir pelotée dès qu'ils eurent aperçu le casque blanc d'un MP. Je finis par trouver un train aussi bondé qu'un tramway indien.

J'ai débarqué à Paris plus de trois semaines après la Libération, étourdie par tant de changements. Plus une pancarte en allemand accrochée aux becs de gaz. Des uniformes kaki partout. J'ai sorti de ma poche mon brassard FFI, auquel je n'avais plus droit, et j'ai marché comme dans un rêve. C'est dans cet équipage que je me suis présentée à la concierge, qui ne m'avait pas vue depuis plus d'un an et me croyait « malade de la poitrine ». Elle m'emberlificota de discours, m'apprit que mon grand-père Stoliaroff était mort à Nice, que mon père et Nicolas y étaient partis, mais peut-être pas encore arrivés... « Et Maman? Et Maman? » Non, elle n'avait pas les clefs de l'appartement, il fallait attendre que Madame rentre, mais quand? Où était-elle allée? Ça... Le temps passait, je me recroquevillais sur la première marche de l'escalier où je m'étais assise, mon sac à dos posé près de moi. Tout à coup, je trouvais tous ces événements trop grands pour moi. Il me semblait rapetisser, comme Alice au pays des Merveilles. Je ne comprenais plus comment j'en étais venue à me retrouver là, toute seule, à la porte de chez moi. Lorsque Maman est enfin arrivée, je me suis soudée à elle et nous sommes demeurées enlacées, étourdies, à vaciller ensemble dans l'ombre du vestibule.

*

C'est alors que Maman m'a appris que le Docteur avait été tué dans un bombardement à Compiègne, trois semaines avant la Libération. « Le pauvre, lui qui a tant fait pour les autres, il n'aura même pas eu la joie de les savoir sauvés, de voir son pays libéré ! » J'ai dû répondre que c'était un grand malheur qui allait achever Mme Edwige. Ni l'une ni l'autre nous n'avons parlé de mes papiers demeurés à la clinique. Peut-être parce que c'était Papa qui m'y avait conduite et que c'était lui qui avait remis au Docteur tout ce qui me concernait ? Le sujet m'importait peu alors. Maman me dit tout ce que ses parents savaient de Paul : il avait été transféré, Dieu sait pourquoi, à la prison de Troyes. Quand ils étaient arrivés là-bas, ils s'étaient entendu répondre que lui et les autres étaient partis « en convoi ». « En Allemagne », c'est tout ce qu'avait pu leur préciser le gardien de la maison d'arrêt de Troyes.

Il me fallait aller en Allemagne. Dès l'instant où Maman prononça ce mot, ma résolution fut prise. Comme Alice au pays des Merveilles avait soudain grandi, je me dressai, décidai que je dominais la situation, commençai d'échafauder des plans et réclamai à manger. Mon plan était simple, dicté par les événements qui ne me laissaient guère de marge de manœuvre. La France avait alors été divisée en deux par les Alliés : la « zone libre », vraiment libérée, sans plus aucun Allemand sur son sol, et la « zone des armées » qui commençait en Champagne. Celle-ci n'était accessible qu'aux personnes munies d'ordres de mission et aux militaires qui prétendaient libérer le reste du territoire, dont l'Alsace annexée, puis franchir le Rhin, Pour aller en Allemagne, il fallait donc s'engager dans l'armée. Maman fit tout pour me retenir, mais j'étais majeure, désormais. Elle m'accompagna seulement, de bureau en bureau, dans ma quête de papiers. Je sortais la carte de mon mouvement de Résistance et on me délivrait un extrait de naissance. A la Faculté de médecine où, pour avoir deux fers au feu, j'étais allée m'inscrire, je produisis le papier à croix de Lorraine : « *a fait fonction de médecin dans une unité combattante* ». Ils en furent tellement impressionnés qu'ils m'inscrivirent en quatrième année ! Ce devait être une erreur, que je ne relevai pas. Au service de santé des Armées, je ressortis le papier magique et son effet fut instantané : je fus incorporée sans la moindre difficulté.

Plus inattendu encore, mon père, rentré de Nice avec mon petit frère et une Babouchka amaigrie et voûtée, approuva et appuya ma décision. Après quatre années d'humiliations sans fond, il fallait « prendre part à la guerre » ! Il fallait rappeler au monde qu'en 18, nous avions la meilleure des armées ! Il fallait reconquérir l'honneur militaire ! « Et puis, ajouta-t-il, dans le service de santé, elle sera toujours à l'arrière, pas au front ! » Pauvre Papa... Il ne savait pas ce que j'allais endurer, pas plus que moi au demeurant. J'allais apprendre ce que veut dire « faire fonction de médecin dans une unité combattante », quand l'unité est vraiment combattante, les vrais médecins totalement surmenés et débordés, et qu'il fallait sans cesse prendre des responsabilités dans l'urgence. J'allais apprendre sur le tas la traumatologie, qui me servirait plus tard à « Médecins sans Frontières ». Mais, surtout, la résistance à la fatigue. Car s'il faut bien peu de temps pour descendre un bonhomme, il en faut davantage pour le repérer, le ramasser, le brancarder, et encore davantage pour le nettoyer, l'anesthésier, l'opérer, le recoudre, le bander, surveiller son réveil. Or, les attaques se succédaient sans relâche. Et, pendant les attaques et après les attaques, se poursuivait notre lutte sur un deuxième front qui ne connaissait de trêve ni jour ni nuit : le froid. Campagne d'Alsace 44-45 : les blessés étaient gelés, les brancardiers étaient gelés, les véhicules étaient gelés, les médecins et les infirmiers étaient gelés, les instruments, les médicaments même étaient gelés. Le froid raidit, engourdit, éteint, brise, bleuit, tue. Malédiction divine qui s'abat également sur l'ennemi. Mais comment s'en réjouir quand on se bat pour aller chercher ceux qu'il a *transférés* et qu'il retient sous cette chape de glace – dans quelles conditions?

Je puis dire que j'ai tenu le coup, je ne sais trop comment, jusqu'à l'ivresse de la prise de Colmar, jusqu'à cete nuit de libations, bien au chaud, où, à la veille d'entrer en Allemagne, j'ai foutu ma vie en l'air sans même m'en apercevoir.

VIII

Reine si peu changée, la vieille petite Reine fanée sans avoir jamais été fraîche, dispose sur sa nappe *country*, comme on dit dans les catalogues, des petits verres à bord doré. Elle me verse un peu d'un alcool anonyme que je hume sans l'identifier ; puis, elle reste son carafon à la main, sans songer à servir sa belle-sœur. Elle me fait face, son regard ricoche sur moi et s'éloigne dans le vide comme si elle y revoyait le terrible et merveilleux mois d'août 44.

Elle raconte avec son accent picard qui retourne les articles (« eul » pour « le », « eud » pour « de ») et fait des « a » des « o » ouverts. Elle ne raconte pas comment on a retrouvé tout récemment mes vieux papiers, mais ce qui s'est passé il y a cinquante ans, après mon départ, alors même que j'étais remplacée par une nouvelle « *infirmière* » qui s'appelait Josiane, le jour où une voiture toute peinturlurée FFI partout, avec des croix de Lorraine, s'était arrêtée devant le perron de la clinique, suivie d'un camion plein d'hommes des environs avec des brassards et des drapeaux, qui faisaient marcher leur klaxon ou sonnaient de la trompe de chasse. Il me semblait voir la petite Reine adolescente, toujours la bouche ouverte, à la porte de la buanderie, contemplant cet équipage.

Elle avait couru au potager chercher son père, qui n'y était pas, puis à l'économat où Mme Daucourt décida qu'elles devaient aller prévenir Mme Edwige. Depuis la mort de son mari, Mme Edwige restait enfermée dans son appartement du premier, tous rideaux tirés, à se laisser mourir.

La porte était grande ouverte, Mlle Puech était là, qui avait assis la patronne dans un fauteuil et s'affairait à la draper dans un peignoir et à arranger ses cheveux. Sa voix enjouée d'infirmière tonique était montée de plusieurs tons, jusqu'à l'aigu d'un enthousiasme exceptionnel : « On va se faire belle ! On va descendre ! Allez prévenir ces braves que Mme le docteur va les accueillir sur la terrasse ! Allez chercher le champagne du Docteur, Mme Daucourt, et des flûtes ! La victoire ! La victoire, chère Edwige ! Le Seigneur soit béni ! Les ennemis sont partis ! » Elle avait envoyé Reine quérir le docteur Josse, au second. « Il a dû se cacher en entendant les voitures. Vous n'avez qu'à crier très fort : Docteur Josse, c'est la victoire ! Ce sont les patriotes qui arrivent ! Nous sommes libérés ! Ça y est ! Ça y est enfin ! Vous êtes sauvé ! » La voix suraiguë de Mlle Puech avait empli la cage d'escalier et Reine avait rencontré à mi-étage le docteur Josse, « rose comme un jambon ». Les portes s'ouvraient, les pensionnaires s'exclamaient, tout le monde s'embrassait. Toutes ces dames embrassèrent la petite Reine, même le docteur Josse lui claqua un baiser sur chaque joue ! « Quand je pense comment il a été après avec nous, ça me fait mal qu'il m'ait embrassée ! »

146

Finalement, Reine aida le docteur Josse à descendre Mme Edwige dans son fauteuil, et ils la transportèrent, comme une noble dame dans sa chaise à porteurs, au soleil sur la terrasse. On lui avait un peu fardé les joues, mais, dans la lumière de midi, cela passait inaperçu. On ne voyait que les grands cernes qui entouraient ses gros yeux de chat. Elle avait pris à son chevet une photographie encadrée du Docteur. Elle la disposa sur une des tables en fer peint de la terrasse, devant le troupeau tintinnabulant des flûtes à champagne : pour qu'il participe à la Libération ! Puis elle convoqua tout le monde, malades, soignants et domestiques à se joindre à ces bruyants résistants annonciateurs de la si bonne nouvelle.

Cela se passa bien ainsi. C'est autour de l'image en noir et blanc du « trop tôt disparu », qui avait été, révéla-t-elle, leur camarade de clandestinité, que s'agglutina la petite foule et qu'on servit le champagne. On n'avait jamais vu une telle fête à la Forte-Haie où, d'ordinaire, on ne buvait ni vin, ni alcool, ni même de bière. Les domestiques étaient prévenus qu'ils ne devaient en aucun cas se laisser soudoyer par ceux des malades qui étaient prêts à tout pour une bouteille. Cette discipline était respectée, un peu par peur d'être congédié, surtout par crainte des crises de ceux qui tombaient raides, yeux révulsés, puis étaient secoués de spasmes et grinçaient des dents comme des damnés.

Mais ce moment-là n'était-il pas exceptionnel ? Le Docteur n'avait-il pas mis ces bouteilles en réserve pour le jour où ils se trouveraient libérés de l'ennemi ? Les graviers crissaient sous les pas, les bouchons de champagne sautaient, la verrerie frissonnait sur les tables en fer. Reine entendit son père qui arrivait à fond de train à bicyclette, faisant bondir sa remorque sur les cailloux et hurlant : « Les Boches sont partis ! Les Américains sont arrivés ! » Il se joignit à la petite foule qui l'acclama et ôta sa casquette pour la minute de silence réclamée par l'officier FFI à la mémoire du Docteur. Mlle Puech et le docteur Josse soutinrent Mme Edwige, vacillante, qui serrait ses paupières bistres. Ensuite on décora la photographie du Docteur avec un drapeau. Il devait être midi, le soleil tapait, les estomacs étaient vides, les esprits excités. Le champagne opéra une métamorphose générale, de nature quelque peu divine. C'était comme si l'esprit du Docteur était là qui soufflait : « Riez ! Dansez ! Chantez ! Allez ! Encore ! » Et les mélancoliques hoquetaient, les vieux brindezingues souriaient aux anges, les habituelles préposées aux lamentations poussaient des hourrah !

*

Je ne pus me retenir d'interrompre le récit de Reine : « Et Jean-Claude ? Vous vous rappelez, Reine, ce beau jeune homme qu'un jour nous avons essayé ensemble de pousser vers la chambre de force, et qui nous a jetées toutes les deux par terre pour se sauver ? Vous vous en souvenez, n'est-ce pas ? Se trouvait-il toujours à la clinique ? Comment était-il, ce jour-là ? Vous ne vous rappelez pas ?

— Oh, que si ! Même qu'il a lancé du champagne à la tête du docteur Josse qui lui en offrait, puis il est parti à grandes enjambées et il a fallu lui courir après, et le boucler, bien sûr ! Même qu'on l'a oublié, avec tout ce qui s'est passé après ! C'est le soir, alors qu'on était tous à la cuisine autour de mon père qui pleurait, que Mlle Puech est arrivée : "Et les deux malades en chambre de force ? Vite, préparez-moi leurs plateaux, ils n'ont rien eu depuis ce matin ! On les a oubliés, les malheureux ! " »

Ainsi donc, Jean-Claude n'était pas un simulateur... « Je le mets en surveillance chez vous, Docteur », avait déclaré le commissaire de police chargé de traquer les réfractaires au STO, « car je suis sûr qu'il n'est pas plus fou que vous et moi ! – Si vous en êtes si sûr, monsieur le commissaire, envoyez-le donc en Allemagne avec les autres. Il n'est pas réfractaire, lui, il s'est bien présenté à la convocation ! Alors ? » Mais, d'après le policier, c'est la mère qui s'était présentée avec la convocation, disant que son fils ne pouvait pas partir travailler en Allemagne, vu qu'il n'était pas normal, même pour travailler en France. On nous l'avait donc mis à l'épreuve à la Forte-Haie pour huit jours, aux fins d'expertise.

« C'est moi qu'ils mettent à l'épreuve, ces fumiers ! nous avait confié le Docteur. Si ça se trouve, c'est un mouton qu'ils m'ont collé là ! Il va rendre compte de tout ce qui se passe dans la bergerie ! Méfiez-vous-en, Josse. Ne l'approchez pas ! »

Il avait été entendu qu'on l'isolerait et que le Docteur viendrait l'interroger. Chaque fois que j'arrivais avec son plateau ou que, comme l'avait prescrit le Docteur, je lui apportais des livres, de quoi écrire ou de quoi dessiner, je trouvais Josse collé contre la porte, observant Jean-Claude à travers l'oculus. Il me tirait par le coude au fond du couloir et me dictait en chuchotant tout un programme, une batterie de questions que je devais lui

149

poser, de choses que je devais lui dire en notant bien ses réponses, ses mimiques, tout son comportement. Je rendais fidèlement compte à Josse et nous nous passionnions pour le cas Jean-Claude.

Le Docteur craignait tant que ce fût un piège qu'on lui tendait, à lui, histoire de venir fouiner dans sa clinique, qu'il était fermement décidé à le rendre au commissaire comme étant « bon pour le STO ». Moi, je trouvais Jean-Claude vraiment délirant, et la façon dont il tentait de m'embrasser ne me rassurait en rien sur son état mental ! On aurait dit qu'il mimait King-Kong, le monstre du fameux film que nous avions tous vu, mais il n'insistait pas si je me dérobais et il s'absorbait alors à autre chose, comme si son accès de bestialité n'avait laissé aucune trace. C'est vrai qu'il lisait beaucoup, et dessinait fort bien : des arabesques de style baroque. Mais, le plus clair de son temps, il le passait à faire des équations. A quelques reprises, j'avais bien essayé de lui en chiper un feuillet, pour que nous pussions juger au moins de son raisonnement mathématique, mais il se ruait alors sur moi comme s'il avait eu des yeux derrière la tête. Parfois, quand je lui donnais des nouvelles de la guerre, il semblait intéressé. Mais, aux questions préparées par Josse, touchant par exemple à l'Allemagne, à son éventuel travail en Allemagne, il répondit une fois, avec un sourire de connivence, que je savais fort bien qu'il s'arrangerait pour ne jamais y aller. Un autre jour, comme j'insistais, il me récita en allemand ce qui me parut être un poème, avec le balancement caractéristique des vers ânonnés par les élèves germanistes au collège. Josse, qui savait l'allemand, me somma de lui en redire les mots, de les lui redemander. « Mais on ne

peut retenir ce qu'on ne comprend pas!» me récriai-je.
Je me gardai de lui confier que j'étais pourtant encore
capable de réciter en russe certains passages du conte de
Baba Yaga auxquels je ne comprenais goutte, mais que
j'avais enregistrés durant mon enfance comme une sorte
de charabia effrayant pour rire, que Papa me débitait
d'une voix à faire peur pour mieux me rassurer, ensuite,
d'une séquence roucoulante qui s'achevait par un baiser
moustachu. Rien à voir avec les mots allemands qui,
parlés ou chantés, résonnaient à mes oreilles comme
autant de menaces paralysantes.

Le Docteur avait finalement décidé d'aller lui-même
au-devant du danger en se rendant en personne au service qui pourchassait les réfractaires au STO. Il avait fait
un exposé obscur et inquiétant sur l'état mental de Jean-
Claude et sur les ennuis qu'il était susceptible de causer
à son employeur allemand. « Il est en bas, dans ma voiture où deux personnes le maintiennent. Qu'est-ce que
j'en fais? Je vous l'amène? Je le rends à ses parents?
– Vous le foutez à l'asile à Clermont, séance tenante! »
En face du nom de Jean-Claude, ils avaient écrit : *Aliéné
interné à l'hôpital psychiatrique de Clermont-de-l'Oise*, et
le Docteur avait dû certifier le verdict en regard. Mais,
pour lui, il était hors de question que Jean-Claude, à
peine échappé au STO, fût livré au mouroir de Clermont. Même si son horreur quotidienne était soigneusement dissimulée par ceux qui y contribuaient en
détournant une partie du ravitaillement et du charbon
destinés aux pauvres internés, c'est-à-dire le petit personnel de connivence avec une partie de l'administration, leur collusion silencieuse n'avait pas empêché les
rumeurs. On parlait d'enfouissement de cadavres

cachectiques. Les employés de l'état civil de Clermont s'effrayaient des listes de décès qui leur étaient communiquées. Faim, froid, défaut de soins, déchéance... C'était « pire que Gurs, ce qui n'est pas peu dire », avait déclaré un ami de la CIMADE au Docteur. Tant que durerait l'Occupation, il s'était donc juré de ne faire interner à Clermont aucun de ses malades, si difficiles fussent-ils, même si la famille et les services sociaux refusaient de lui payer la pension et les soins. C'est ainsi qu'on avait gardé Lucile à la Forte-Haie, en dépit du lourd fardeau qu'elle représentait. C'est ainsi que le Docteur nous ramena Jean-Claude, qui devint un malade clandestin.

On convoqua donc ses parents. Ils mirent du temps à venir, faute de trouver un moyen de transport. A peine débarqués un jour d'un taxi, ils relancèrent l'énigme : bien entendu, il ne fallait pas interner Jean-Claude, jamais ils ne donneraient leur autorisation ! Leur fils n'était pas du tout fou ! Un peu fatigué, peut-être, mais parce qu'il était très brillant et travaillait dur ! Il préparait le concours d'entrée à Normale Sup en sciences ! Il avait dû quitter la « prépa » à la suite d'un surmenage, mais il ne pouvait partir au STO, gâcher ainsi sa vie ! C'est pour empêcher cela que sa mère s'était présentée à sa place en le disant dérangé, mais ce n'était pas vrai ! « Il vous a peut-être joué la comédie quand les policiers vous l'ont amené, mais exprès ! exprès ! »

Cependant, au moment où les parents allaient l'emmener avec eux, tout avait basculé. Le garçon avait refusé de bouger. Je n'ai suivi la scène que de loin. Le chauffeur du taxi s'impatientait, actionnait son avertisseur. J'ai vu le père compter des billets de banque dans les mains du Docteur et la mère se jeter sur son fils immobile, statufié, les bras le long du corps, qui regardait ailleurs. Ils sont repartis. Jean-Claude ne bougeait toujours pas. Le Docteur a fini par le ramener à la maison. Ils sont entrés dans le hall, bras dessus, bras dessous, comme nous nous apprêtions à passer à table pour dîner. En me voyant, Jean-Claude m'a lancé un sourire éblouissant et m'a dit d'une voix claire et cérémonieuse : « Vous voyez bien, mademoiselle, que je n'irai pas en Allemagne ! » Josse en était stupéfait ; notre curiosité en fut à nouveau piquée, et lui et moi reprîmes nos observations et nos supputations.

Ainsi donc, un demi-siècle plus tard, la vieille petite Reine confirme notre plus sombre diagnostic. La Libération n'a pas libéré le beau Jean-Claude de son mensonge, car il ne simulait pas. Son impénétrable incohérence n'était pas feinte, mais annonçait l'inévitable dislocation de sa personnalité. Plus tard, on a dû lui faire des comas insuliniques, mais je n'étais plus là pour le dorloter à son réveil et voir s'ouvrir ses grands yeux indifférents. A-t-il fallu l'interner définitivement ? A-t-il continué, entre ses crises, à dessiner des arabesques et aligner des équations ? A-t-il conservé, jusque dans la déchéance, son blanc sourire sans joie ?

*

Reine s'inquiète peu du naufrage programmé du beau schizo lançant son verre de champagne à la face du docteur Josse. Elle poursuit. Son récit galope, mais elle me somme à chaque bout de phrase de bien la suivre : « Vous voyez ça ?! », « Figurez-vous... », « Vous vous rendez compte ! » Elle me convoque comme témoin et je dois imaginer, à travers ses mots, la petite fête de la liberté à la Forte-Haie, en présence d'un capitaine des FFI et de quelques énergumènes à brassard, fusil en bandoulière, parmi lesquels elle reconnaît deux anciens piqueux de chasse du baron de Rothschild, des gars de Boismesnil qui, depuis la guerre, ont trafiqué du bois et un peu de tout pour vivre, vu que la chasse à courre, alors, c'était fini. Voilà que, pour le coup, ils ont ressorti leurs cors bien astiqués et sonnent à cœur joie ! Ils sonnent *La Marseillaise* ! « Vous imaginez ça, *La Marseillaise* à la trompe de chasse ! Tout le monde chantait avec les cors. Voilà qu'à cause, sans doute, de ce beau vacarme, une auto stoppe devant le portail toujours ouvert, une drôle d'auto dont sortent des militaires, puis une autre, puis une autre... C'étaient des jeeps ! Les premières jeeps qu'on voyait ! Et les premiers Américains ! » Ils avancent d'un pas élastique sur leurs semelles crêpe, en balançant les bras, vers cette petite foule hétéroclite qui chante *La Marseillaise* en brandissant des flûtes à champagne, tandis que deux rougeauds se font cloquer les joues à souffler dans leurs cuivres. Les Américains ! « Vous vous rappelez ce qu'on les attendait, ceux-là ! On n'osait pas croire que c'était des vrais, que c'était enfin eux ! » Ovations indescriptibles. Rechampagne ! Toutes les bouteilles en réserve y passèrent. C'était à qui s'évertuerait à parler l'américain avec eux ! Reine ne pouvait plus suivre, mais elle riait tant à les voir essayer de sonner de la trompe ! Ils n'en sortaient que quelques pets sonores et s'écroulaient de rire !

« Comme tout le monde avait faim et la tête qui tournait, on décida de manger là, sur la terrasse, avec eux, à la fortune du pot! Les Américains avaient demandé si nous avions du *fresh* et ils dévoraient des feuilles de salade comme ça, sans rien, croquaient des carottes crues en roulant les yeux de plaisir. Ils nous donnèrent des boîtes en carton, d'un carton comme enduit de bougie, des *récheunes*, ils appelaient ça; dedans, il y avait du corned-beef et du pâté au soja, et puis tout en poudre : lait en poudre, œufs en poudre, café en poudre – du vrai! –, sucre en poudre, enfin! Mon Dieu, quand j'y repense! C'était la première fois qu'on voyait ça de notre vie, le café en poudre! Ça paraissait comme un tour de passe-passe : je te verse de l'eau chaude et hop, t'as du café! Le plus bizarre, c'était la poudre d'œufs! Mon père, il ne voulait pas y goûter! A nous autres, ce que ça semblait bon, à l'époque! Ça faisait luxe! Et le chewing-gum! Vous vous figurez ça? Les pensionnaires, Mme Edwige, le petit docteur, les infirmières, Gabrielle, la femme de chambre, et la grande Anna brèche-dent, et puis tous, tout le monde qui mâchait – sauf Mlle Puech quand elle s'est mise à chanter en anglais des chants d'église avec les Américains. Elle chantait bien, mais avec des trémolos, et nous, on mâchait, on mâchait... C'est pendant qu'elle chantait qu'on s'est aperçu que les moutons, ils vaguaient près du portail et risquaient de partir en forêt. Anna avait laissé leur enclos ouvert quand les FFI étaient arrivés. Vous ne me croirez pas, c'est comme ça que tout a commencé. On a fait la chasse aux moutons pour les rabattre vers leur enclos. Mais vous savez comme c'est bête, les moutons! Y a pas plus bête! Ils ont foncé vers la terrasse, en plein dans le monde, bousculant les chaises, les tables, les bouteilles, les tasses, les verres! C'est Anna qui a attrapé le premier en l'empoignant à deux mains en plein dans la laine, comme ça! Elle était forte, Anna, elle le tirait, le soulevait, elle voulait expliquer, elle était un peu saoule, alors elle criait, comme toujours d'ailleurs, elle criait en polonais. Mais alors, voilà-t-y pas que le docteur Josse lui répond aussi en polonais! Et puis une des malades – enfin, qu'on croyait malade! –, la petite Mme Charbonnier – enfin, qu'on appelait Charbonnier... –, celle du deuxième, dans la chambre bleue « Les Campanules », vous vous rappelez? une petite dame brune à lunettes qui se tenait très droite, qui tricotait tout le temps, même qu'elle jouait aux dames en poussant les pions du bout de son aiguille et re-tricotait entre chaque coup – eh bien, cette petite dame qui parlait français comme vous et moi, la voilà qui se met aussi à parler polonais, ou quelque chose d'approchant, et qui tombe dans les bras du docteur Josse! Et puis alors... »

*

Reine secoue la tête, puis repose son carafon de marc. Elle a besoin de ses deux bras et de ses deux mains pour mimer la suite dont elle sait fort bien suggérer l'aspect théâtral, au point que les souvenirs que j'ai gardés des protagonistes se précisent brusquement comme si on me faisait assister à une rétrospective filmée.

L'étreinte inattendue de Mme Charbonnier et du docteur Josse parlant « en langue » avait donné le branle à une grande confusion de cris et d'exclamations que Mme Edwige apaisa d'un coup en se dressant, telle une prophétesse, bras étendus, paumes levées. Dans le mouvement qu'elle fit, son peignoir vert s'était ouvert sur sa longue chemise de nuit, tandis que le chignon que Mlle Puech lui avait hâtivement confectionné se dénouait et qu'une longue natte grise, çà et là hérissée d'épingles neige, se déroulait sur son épaule. On eût pu croire qu'elle s'était levée pour mourir tant elle était blême, tant elle semblait implorer le Ciel de l'enlever ainsi, toute droite, toute maigre, exhibant les stigmates d'une intolérable douleur, les yeux mi-clos. Mais non ! Elle réclama seulement le silence, telle une sibylle qui souhaite annoncer le destin. Elle ne parla cependant pas d'avenir, mais de l'heure présente, cette heure tant attendue, l'heure de la délivrance : « Au nom de mon époux bien-aimé qui n'est plus, je m'adresse à vous, mes chers frères et sœurs pourchassés, persécutés ! Vous qu'il a accueillis, vous qui avez, grâce à lui, pu vivre ici en paix, échappant à nos bourreaux, voici venue l'heure que vous attendiez ! Voici venue l'heure que mon époux aurait tant aimé vivre, l'heure qui va vous voir renaître à vous-même, reprendre chacun votre nom véritable, celui qui vous vient de vos ancêtres ! Mon mari aurait tant aimé accomplir cette tâche : rendre à chacun sa véritable identité ! Ayez une pensée pour lui, chers amis, et pour ceux qui ont risqué leur vie afin que vous puissiez avoir des papiers si bien faits, si sûrs ! Vous qui, ici, n'étiez pas malades, voici que vous êtes guéris de votre fausse maladie ! N'est-ce pas merveilleux ? Grâces soient rendues à Dieu ! Les nazis ne vous ont pas eus, non plus que moi qui suis des vôtres ! Voici le jour de notre résurrection ! » Tout le monde était figé dans le silence, même les Américains qui n'avaient rien compris. Seuls deux malades continuaient, l'un à marmonner, l'autre à gémir doucement.

S'adressant en anglais au lieutenant, Mme Edwige pria les Américains de se retirer. Du moins fut-ce ce que Reine crut comprendre, car, les uns après les autres, ils défilèrent devant elle. Le premier, le lieutenant, s'était avancé, main tendue, puis s'était ravisé, sans doute de peur, s'il la touchait, de voir s'écrouler en petit tas de cendre cette grande femme ressuscitée dans sa défroque biblique. Pieds joints, mais sans claquer des talons à l'allemande, il avait fait le salut militaire, et les autres l'imitèrent. Ce que voyant, le capitaine FFI voulut prendre congé, mais elle le pria de demeurer, avec l'un des siens, « pour être témoin et dresser un procès-verbal à remettre à l'état civil de la mairie de Boismesnil, comme le Docteur l'aurait fait ». Aux domestiques elle demanda de débarrasser promptement toute cette vaisselle, ces verres, ces bouteilles vides, ces cartons dépecés, ces sachets éparpillés. Reine empila les assiettes tandis que Mme Edwige répartissait les pensionnaires en deux groupes. Les uns s'en furent avec Mlle Puech et Josiane Wiblé, la nouvelle infirmière, chacun dans sa chambre, pour se reposer après tant d'excitation. « Faites-moi la liste des personnes qui désirent téléphoner ou télégraphier à leurs familles, si celles-ci sont dans la zone libérée. Nous nous occuperons de cela demain. Que les autres viennent avec moi dans le bureau de mon mari. »

Il parut à Reine qu'ils étaient une petite dizaine à suivre le fauteuil de Mme Edwige, porté cette fois par les deux FFI. Reine est descendue à la cuisine avec son plateau chargé de vaisselle sale. Lorsqu'elle est revenue sur la terrasse pour en enlever de nouvelle, il n'y avait plus personne. Elle a aperçu dans le même temps un sac oublié sur une chaise et Mme Guilloux – « Vous vous rappelez, une grande dame distinguée qui jouait très bien du piano, qui pleurait tout le temps et cherchait partout son mouchoir ? » – Mme Guilloux, donc, descendait le perron. Elle lui a crié : « C'est votre sac, madame Guilloux ? – Oui, Reine, c'est mon sac, mais je ne m'appelle plus Mme Guilloux. Je suis Mme Goldenberg, rappelez-vous, Goldenberg ! Voulez-vous dire à votre père que nous l'attendons tous dans le bureau du Docteur ? Tout de suite ! »

*

« Mon père... il nous a raconté ça au moins dix fois ! Ça lui a flanqué un coup, vous pensez ! Il n'était entré dans ce bureau qu'une fois, le jour où le Docteur nous avait engagés tous les deux, après la mort de la mère, quand il avait su que son jardinier était prisonnier. Moi, j'avais juste l'âge. Le Docteur avait dit qu'on ne me ferait rien faire de fatigant, et qu'il surveillerait ma santé. Il nous avait d'ailleurs donné beaucoup de boîtes de fortifiants qu'il avait prises dans sa grande armoire. Le bureau, moi, je le connaissais bien, car j'y avais fait souvent le ménage. Pas mon père. Et puis, le père, quand il est arrivé, c'était plein de monde, des gens debout qui le regardaient tous. Il y avait la patronne, assise à côté du coffre-fort grand ouvert, et vide. Moi, je ne savais pas ce que c'était, ce meuble-là que j'avais toujours vu fermé. Le père, ça l'a frappé : il m'a dit que dedans, quand c'était ouvert, c'était assez petit. »

Mme Edwige, qui avait sur les genoux quelques papiers et une liasse de billets de banque, a aimablement salué le Ch'tiot Père et lui a demandé de but en blanc où le Docteur et lui avaient enterré la cantine : dans quel coin du jardin ?

« Quelle cantine ? s'est exclamé le père. J'ai jamais rien enterré que des pommes de terre ! »

Il s'est fait un grand silence. Il a semblé au vieux qu'ils s'entre-regardaient tous, puis plusieurs d'entre eux se sont avancés d'un pas ou deux jusqu'à le cerner. Cependant, Mme Edwige s'est à nouveau adressée à lui d'un ton gentil, comme à quelqu'un d'un peu demeuré :

« Vous savez ce que c'est qu'une cantine ?

— Ben oui ! Une malle en fer pour les militaires gradés, avec leur nom dessus.

— Le Docteur a dû vous demander de l'aider à creuser un trou profond, peut-être ? Assez grand pour enfouir une cantine militaire ? »

Mais non, jamais il n'avait creusé de trou de cette importance, et jamais il n'avait vu la moindre cantine. Il ne savait même pas que le Docteur en possédait une. Il s'enhardit à interroger tout haut : « Pourquoi diable le Docteur aurait-il voulu enterrer sa malle ? » La réponse le médusa. Mme Edwige lui expliqua que tous les papiers des personnes qui étaient là, dans le bureau, et les siens propres, ses papiers à elle, leurs papiers à eux tous, avec leurs vrais noms, avaient été déposés dans cette cantine, et que son mari lui avait affirmé qu'il l'avait enterrée au jardin. Il avait effectué cet enfouissement à l'époque où elle-même était à Paris pour sa première opération. Auparavant, tous ces papiers étaient dans le coffre-fort, mais il leur avait semblé à tous deux qu'il n'était pas prudent de les laisser là, car, en 1940, quand les Allemands avaient occupé la clinique, l'espace de quelques semaines, ils avaient fait sauter le coffre, on ne sait trop comment. Le Docteur en avait racheté un autre, mais il ignorait s'il serait assez solide pour résister s'il leur prenait à nouveau l'envie de l'ouvrir à l'explosif. D'autre part, ce nouveau coffre était trop petit pour contenir tout ce que le Docteur avait à dissimuler.

« Mais, même les papiers de tout le monde ici présent, ça ne fait pas gros ! On n'a pas besoin d'une cantine militaire pour ça !

— Monsieur Gasparin, il n'y avait pas que les papiers, il y avait aussi... »

Le docteur Josse l'a coupée :

« Ne lui dites pas ce qu'il y avait ! Ou bien il n'a pas besoin de le savoir, ou bien il le sait déjà très bien ! Lui ou Anna ! C'est elle aussi qui bêche et creuse au jardin ! Il faut faire venir Anna ! C'est à elle que le Docteur a fait faire le trou ! Il était sûr qu'elle ne parlerait pas, parce qu'elle se cachait ici, elle ne pouvait le dénoncer sans se dénoncer ! Mais elle pouvait peut-être ouvrir la malle après l'avoir enfouie, et... »

*

Ils sont allés chercher la grande Anna qui s'est affolée à la porte du bureau. A cause des tapis, elle a voulu quitter ses galoches. Elle s'est baissée en se tenant au chambranle. Ils ont cru qu'elle refusait d'entrer et l'ont alors tirée de force, accroupie comme elle était, au beau milieu de la pièce. Le docteur Josse l'assommait de questions en polonais et elle s'est mise à crier comme un goret qu'on égorge. Le Ch'tiot Père, qui ne comprenait rien à ce que disait le docteur Josse et ne pouvait supporter ces cris, s'est fâché pour de bon. Jamais le Docteur ne les aurait traités ainsi! Si Anna dit qu'elle n'a pas creusé de trou, c'est qu'elle n'a pas creusé de trou! Admettons, a concédé Mme Edwige, admettons que le Docteur ait tout seul creusé ce trou et enterré la cantine; le Ch'tiot Père a bien dû repérer un endroit où le sol avait été remué, ou bien des mottes d'herbe qui auraient été remises sur la terre ameublie. Voilà qui était vrai : un trou frais, ça se remarque, et si on le recouvre avec les mottes d'herbe qu'on a préalablement arrachées, elles prennent bientôt un air fripé, ça saute aux yeux. Mais si c'était au fond du verger? A des endroits où on ne va quasiment jamais? Là-bas, près du ruisseau? Tout le monde était perplexe et de bonne foi. Anna, toujours accroupie dans les replis du tapis, ne faisait plus que gémir et renifler, lorsqu'une dame a dit :

« Si ce n'est pas honteux de voler le bien de personnes dans le malheur! »

Passer ainsi de l'euphorie fraternelle champagnisée à l'ère du soupçon, trinquer avec les pensionnaires pour s'entendre bientôt vilainement calomnier, le jardinier ne l'a pas supporté. « Le père, il a vu rouge, convient Reine. Il nous l'a bien dit, qu'il était très en colère! » Il a lancé sa casquette droit devant lui, en direction de la voix accusatrice. Il a pris Anna par le bras et s'est planté devant la patronne : si c'était ça, sa Libération, elle pouvait la garder! Lui, il foutait le camp, il demandait son compte, et celui de sa fille Reine, et celui d'Anna, immédiatement! Qu'ils se démerdent! a-t-il osé dire. Qu'ils s'occupent des bêtes, qu'ils cultivent leurs légumes, qu'ils fassent leurs lits et leur vaisselle eux-mêmes! Ça lui était bien égal, ce qu'ils boufferaient sans

eux ! Et s'ils claquaient du bec, c'était pas son affaire !
Qu'on aille chercher Reine ! La patronne avait plein
d'argent sur ses genoux, qu'elle les règle tous trois
séance tenante, et adieu !

Mais il était tellement « colère » qu'il avait électrisé
ceux-là mêmes qui, jusqu'alors, étaient demeurés passifs. « Il ne faut pas les laisser partir comme ça !, s'est
écrié un monsieur. Il faut fouiller leurs chambres et
leurs effets ! » Cela sembla au docteur Josse une idée
lumineuse : ou bien ils n'avaient rien à craindre ; ou
bien, si on trouvait chez eux quelque affaire que ce soit
provenant de la cantine et qui serait reconnue comme
sienne par une des personnes présentes, une chose
confiée autrefois au Docteur, alors on les bouclerait tous
les trois ! Il répéta la formule en polonais tandis que
Mme Edwige essayait de leur démontrer que ce n'était
pas possible : on ne fouille pas les chambres des domestiques ! Ça ne se fait pas ! Des particuliers ne peuvent
perquisitionner comme ça, sans autre forme de procès,
les chambres des personnes à son service ! Il fallait au
moins faire venir les gendarmes ! Mais, un jour de Libération, après des années de malheur, des gens qui cher-
chaient leurs papiers et leurs objets précieux ne s'embar-
rassaient pas de tels scrupules. Du reste, la demoiselle
du téléphone ne répondrait pas, elle devait fêter les
Américains. Et les gendarmes, où pouvaient-ils bien être
ce jour-là ? A qui obéissaient-ils, eux qui avaient secondé
la police allemande pour arrêter les Juifs ! Mais le
Ch'tiot Père déclara que si on pénétrait dans sa
chambre, il sortait le fusil qu'il n'avait pas caché bien
loin ! Le docteur Josse proposa ou décida que ce seraient
les deux FFI qui effectueraient la fouille. Voilà une

autorité que le Ch'tiot Père ne pouvait récuser! Et toute la petite troupe s'est transportée vers les chambres des communs, au-dessus du garage. Le père Gasparin gueulait comme un âne, cherchant à ameuter les cuisines, mais si une femme de chambre surgissait de l'office, elle replongeait aussitôt au sous-sol. « C'était affreux! » souffla Reine.

IX

Reine fait une drôle de grimace d'enfant contrarié. A ravaler les pleurs qui montent, elle ne peut plus parler. Elle tord la bouche. D'un coup, ses sanglots fusent avec des hennissements. Elle s'abat sur le sein de sa belle-sœur qu'elle martèle de ses poings. Je viens d'apprendre qu'une bonne demi-douzaine au moins de mes ex-patients de la clinique de la Forte-Haie n'étaient pas malades, et voilà que l'ex-petite bonne pique une crise d'hystérie. Je la laisse reprendre son souffle, sans moi-même broncher. Je suis trop éberluée. Ainsi, dans ce petit théâtre au fond des bois où j'ai vécu mes vingt ans, tout le monde était à contre-emploi – à commencer par moi, qui n'étais pas infirmière.

Mais que penser de cette Mme Guilloux, *alias* Goldenberg, ou plutôt Goldenberg, *alias* Guilloux, que sa voisine de chambre, Mme Lévy, *alias* Huret, alarmée par ses cris nocturnes, avait choisie comme exemple pour se prouver qu'il existait près d'elle un plus grand malheur que d'être juive, c'était d'avoir les nerfs déla-brés et l'esprit dérangé ! Mme Lévy ne s'était nullement aperçue que sa voisine était juive, et moi à qui celle-ci

165

mendiait chaque soir un peu plus de gardénal que je n'étais autorisée à lui en donner, je ne m'étais pas davantage aperçue qu'elle n'était en rien malade... Au contraire, j'en avais fait l'incarnation de la femme triste de Baudelaire, en proie à l'angoisse : « *...Quand ton cœur dans l'horreur se noie / Quand sur ton présent se déploie / Le nuage affreux du passé / Je t'aime quand ton grand œil verse / Une eau chaude comme le sang...* » Ne ressemblait-elle pas quelque peu, la belle et funèbre Mme Guilloux, à la très catholique mère de mon bien-aimé ? A la Forte-Haie, j'en avais fait ma Marie-Madeleine raffinée et neurasthénique, et je m'imaginais l'entourer de quelque chose qui ressemblait à de la tendresse.

Mais ce qui me trouble le plus, ce n'est pas le sens que revêtent par réfraction ces erreurs sur les personnes. C'est de mesurer quel abîme sépare les réactions que j'aurais eues alors, en août 1944, à la révélation que « la femme triste » qui ôtait lentement ses bagues pour jouer Schumann, toujours Schumann, mort fou, n'était aucunement malade, ne pleurait pas d'angoisse pathologique, mais se cachait plutôt confortablement chez un médecin fort charitable, — et les sentiments que cette révélation m'inspire aujourd'hui. Voici cinquante ans, j'aurais été désappointée, voire vexée d'avoir été bernée, moi qui me rappelais que le métier d'infirmière, comme me l'avait dit Sœur Welten, était un « service » qui commandait la « sympathie » au sens propre du terme — « *souffrir avec* » le malade, partager sa passion. Aujourd'hui, sachant ce que Mme Goldenberg libérée allait apprendre durant les cinq premiers mois de 1945, une fois sortie de sa cache, sur le destin des siens, proches ou lointains, sur cette interminable et gigantesque extermination perpétrée dans le silence conjoint des hommes et de Dieu, – aujourd'hui, *a posteriori,* son malheur m'apparaît bien plus irrémédiable que la mélancolie dont je la plaignais. Ce nuage qui obscurcissait son esprit et la faisait pleurer une continuelle « eau chaude comme le sang », n'était peut-être pas le « nuage affreux du passé », mais l'intuition de ce qui s'accomplissait ailleurs, dont l'horreur ne serait connue que des mois après sa propre délivrance. Peut-être était-ce l'angoisse du crime commis contre son peuple qui la faisait brusquement cesser de jouer pour claquer le couvercle du piano et chercher partout l'un de ses sempiternels mouchoirs ?

*

Qu'ils aient ou non perdu leurs papiers, leurs souvenirs, leurs bijoux ou leurs pièces d'or, elle, Josse, Mme Lévy et les autres ont dû, dans les mois qui suivirent janvier 1945, apprendre l'inimaginable et vivre avec cette révélation. Outre le poids écrasant du deuil éprouvé dans une peur rémanente, il leur a fallu assumer la mauvaise conscience de qui a échappé à une mort collective programmée, éprouver cette culpabilité inutile des innocents préservés. Depuis cinquante ans, des dépressifs, même sévères, ont été soulagés, des maniaques ont été calmés, des délirants ont été contrôlés – si mal et si peu que ce soit. Le choc de la découverte de l'étendue de l'extermination antisémite ne s'est pas atténué, lui, avec le temps, bien au contraire. Souvenirs personnels et souvenirs collectifs du temps de guerre se sont affadis et surtout brouillés en dépit des sursauts de mémoire et des commémorations arrangées par des journalistes qui ne connaissent rien à l'histoire. La connaissance et la conscience du génocide anti-sémite, elles, n'ont cessé de grandir. Cinquante ans plus tard, il occupe la première place dans la mémoire trans-mise aux jeunes. On ne tolère pas sa négation ou sa rela-tivisation. Cette cristallisation de la mémoire sur la *Shoah* ne s'est pas faite dans les mois ni même les années qui suivirent. Le procès des crimes contre l'humanité qui se tint à Nuremberg n'y consacra que relativement peu de temps et bien peu de pages. Lors du procès intenté à Pétain par d'anciens résistants – dont plusieurs juifs –, il en fut à peine question, et aucun témoin juif ne fut appelé à la barre pour dénoncer la politique anti-sémite du vieux maréchal. Mes petits-neveux ne m'ont pas crue le jour où je leur ai exposé ces faits indéniables. Ils ont crié alors à l'antisémitisme persistant de ceux qui avaient été appelés à juger les crimes nazis ou le chef de l'État vichyssois. Bien sûr que non ! C'est ailleurs qu'il faut chercher l'apitoiement sans épaisseur à l'égard de ce qui fut appelé bien plus tard l'« Holocauste », avant que se répandît son nom hébreu, la *Shoah*. L'Europe était, en 1945, couverte de ruines. On comptait les morts par dizaines de millions, mais on les dénombrait par nation. Ni par race, dont on ne voulait plus entendre parler, ni par religion. Les millions de morts, c'était en URSS, en Pologne, en Allemagne. En France, pays pourtant rela-tivement épargné, le total des pertes s'élevait à quelque 500 000, dont 240 000 civils écrasés sous les bombarde-ments, allemands en 1940, et alliés par la suite. On oubliait toujours les pauvres 100 000 soldats tombés en mai-juin 1940. Ils étaient noyés dans le nombre, bien qu'ils eussent combattu. Tout comme les 75 000 Juifs déportés, dont deux-tiers d'étrangers récemment arrivés en France [1], souvent confondus alors avec les résistants morts en nombre équivalent dans les prisons et les camps. Les trois quarts de la communauté juive française avaient survécu, pour la plupart sous des identités fictives, cachés chez d'autres Français. Ceux-là n'ont appris que par bribes Varsovie ou Budapest. Les comptabilités transnationales de Juifs exterminés parce que juifs commençaient seulement à s'élaborer en Europe centrale. En France, comme il était revenu davantage de déportés de Buchenwald ou de Mauthausen que d'Auschwitz ou de Treblinka, longtemps on parla de la politique nazie d'extermination par le travail et la faim, et peu de la «solution finale». Par petits groupes, dans la discrétion apprise à si rude école, certains Juifs survivants quittèrent la France pour Israël. Les autres se revendiquaient Français, sans singularité particulière, surtout sans singularité particulière! Ils entrèrent hardiment dans les batailles politiques de la démocratie retrouvée. Nombreux furent ceux qui conservèrent alors leurs noms d'emprunt des années de cache.

Qu'aurais-je fait, qu'aurais-je pensé si, demeurée à la Forte-Haie jusqu'à la Libération, j'avais appris que mes malades n'étaient pas tous malades? Leur aurais-je réservé assez de compassion? Une fraternité de clandestinité, comme pour Josse, oui. Aurait-ce été suffisant? Aujourd'hui, je m'interroge. Ni malades, ni combattants : peut-être aurais-je été sévère...

1. Total des déportés juifs à partir de la France : 75 721, dont « plus des deux-tiers d'étrangers », in *Mémorial de la Déportation des Juifs en France*, par Serge et Beate Klarsfeld, Paris, 1978.

IX

« Vous auriez été avec eux contre nous, vous, mademoiselle Odile ? réussit à hoqueter Reine dans les bras
de sa belle-sœur.

— Sûrement pas, ma pauvre Reine. Mais moi, je
n'avais rien confié de précieux au Docteur, seulement
ma carte d'identité...

— Pourtant, dans la cantine, vous le verrez bien
quand on vous le donnera, il y en a tout un paquet pour
vous ! Pas seulement votre carte ! Un paquet ! »

Qu'est-ce que cela peut-il bien être ? Qu'est-ce que
mon père avait bien pu remettre au Docteur ? Il ne
m'en a jamais parlé. De l'argent pour moi ? Je n'avais
pas le moindre bijou, je n'aimais pas les bijoux, je trouvais que c'était bon pour les vieilles. La Gestapo avait
fait main basse sur mon seul trésor, que Maman n'avait
pas pensé à mettre dans la valise qu'elle m'avait préparée
à la hâte : une pile de feuillets couverts de l'altière écriture de Paul, davantage de notes de cours et de poèmes
recopiés que de mots d'amour. « Ils » les avaient raflés
dans ma commode d'où je les sortais tous les soirs pour
les contempler comme des images sacrées jusqu'à en

connaître chaque délié, chaque barre de « t » voltigeante mais ferme, afin de me saturer des preuves de son existence, puis je reprenais une à une chacune des minables petites photos que je lui avais extorquées, comme un rituel. « Ils » avaient tout pris. A mon retour d'Orléans, je n'avais retrouvé, échappée à leur vigilance, qu'une photomaton bistre qui m'avait accompagnée, glissée dans mon soutien-gorge, durant toute la campagne d'Alsace, jusqu'à la nuit de Colmar où je l'avais perdue.

Voilà que la curiosité m'émoustille. Je m'impatiente. Je regarde ma montre : encore près d'une heure avant de savoir. J'ai dix, cent questions à poser à Reine. Où a-t-on retrouvé finalement la cantine du Docteur? Est-ce l'excavatrice que j'ai vue à l'œuvre tout à l'heure qui l'a mise au jour? Mais alors...

Reine a repris son récit, dramatisé par les sifflements de ses aspirations spasmodiques, traîne de plus en plus espacée de ses sanglots. Pathétique, elle me prend à témoin comme si, cinquante ans plus tard, je pouvais la disculper :

« Ce pull rouge que vous m'aviez donné pour que je vous prête mon vélo, savez-vous qu'on m'a accusée de vous l'avoir chipé! Des gens l'ont reconnu.

— Mais, c'est vrai que je vous l'avais donné! Et aussi une chemise de nuit.

— Allez leur dire ça, maintenant, aux mauvaises langues! Vous n'étiez pas là pour me défendre. Les domestiques, en ce temps-là, c'était encore un peu moins que rien... »

Mon impatience se mue en indignation impuissante. Je bous de remords. Un chandail (Reine dit *pull* aujourd'hui, avec un « u » allongé parfaitement incongru), un superbe chandail en pure laine tricoté par Mémé de Saintes au point de riz très serré, parce que « ça ne se déforme pas ». Certes, mais ça ne se prête pas non plus ! J'étais devenue, il est vrai, surtout de poitrine, plus forte que ne me voyait ma grand-mère. Il m'avait semblé que ce chef-d'œuvre trop moulant tomberait bien mieux sur le corps gracile de la petite bonne aux abcès froids. Un beau chandail rouge vif dont les longs poignets tricotés en côtes fines devaient dépasser de ma blouse d'infirmière. Mais je l'avais bel et bien donné – cela, c'était sûr ! J'en avais d'autres, et pas elle. Devant quel tribunal pourrais-je aujourd'hui témoigner ? Je me contente de confirmer à la belle-sœur Thérèse.

*

« C'était pas ça le pire », continue Reine, ni même le sucre détourné trouvé dans la chambre d'Anna, ni même les quatre torchons presque neufs, encore marqués au nom de la clinique, que la Polonaise avait dû barboter à l'office pour se donner l'illusion qu'elle montait son ménage. Ce n'était pas non plus les quelques bouteilles de vin fin de la réserve particulière du Docteur – Mme Edwige avait seulement haussé les épaules à cette découverte, et on les avait laissées au père. Le pire, c'était, dans une pile de draps qu'il avait sauvés de son propre ménage, rangée dans une malle d'osier avec divers bibelots et les effets de sa défunte épouse, c'était, entre les pages d'un livret de Caisse d'épargne de niveau modeste, c'était une pièce d'or – un « Napoléon III », précisait Reine. Un « Napoléon III » qui venait du grand-père maternel, seul préservé d'un

173

legs de quatre. Il était là depuis si longtemps que les pages du livret de Caisse d'Épargne en avaient pris l'empreinte. Il était enveloppé de papier de soie. Heureusement! Ce papier de soie était très ancien, presque brûlé par l'âge, fit remarquer le capitaine FFI à ceux qui s'agitaient à cette découverte, affirmant avoir confié de semblables pièces d'or au Docteur. De fait, l'un d'eux précisa que ses pièces étaient dans un petit étui de velours; l'autre, dans un simple porte-monnaie. Il y eut beaucoup de cris et de protestations, mais la fragile pelure de papier de soie usé sauva le Ch'tiot Père de l'arrestation. Elle ne l'avait cependant pas dégrevé des soupçons. Les jours qui suivirent, les semaines plutôt, furent dramatiques. Certains des Juifs français voulaient partir, même sans papiers, pour retrouver des parents, une maison, un commerce. Mais la plupart n'avaient plus d'argent, ou du moins pas assez pour payer à Mme Edwige les mois et les mois de pension qu'ils lui devaient. Leurs livrets de Caisse d'Épargne à eux n'étaient pas dans une malle d'osier, dans leur chambre, mais dans une cantine introuvable, avec leurs diverses valeurs. Mme Edwige répétait à chacun « Je suis née Kahn, alors... », et les laissait partir en les embrassant comme une condamnée à mort qui se moque bien de sa trésorerie.

Après la cérémonie organisée par les nouvelles autorités issues de la Résistance sur la tombe de son mari, elle s'était à nouveau enfermée dans sa chambre. Elle avait légué et confié toute la maison au docteur Josse, à charge pour lui de se débrouiller avec l'économe et de trouver un repreneur ou un associé, n'importe!

« Alors, le docteur Josse... »

J'imagine le pauvre Josse courant les hôpitaux où il avait dû travailler en France avant-guerre, recherchant ses anciens confrères pour établir son identité et ses titres. Car la Pologne ravagée était alors envahie par les Russes. Il devait se sentir acculé, incapable de redresser les finances de la clinique, ne pouvant pour lors ni la diriger, ni trouver un assistant de qualité, ni vendre la baraque. Et Mme Edwige se mourait après avoir cédé ses bagues pour faire construire un caveau.

*

Josse avait alors contraint le Ch'tiot Père et Anna à accepter un marché diabolique : ils ne toucheraient leurs gages que lorsqu'ils retrouveraient la cantine. De ce jour, le vieux se mit à creuser partout. C'était devenu une idée fixe. Il se relevait la nuit pour aller sonder, avec une barre à mine, des recoins du parc qu'il avait vus en rêve. Pouce par pouce, il avait entrepris de fouiller tout le potager, quitte à bousculer ses planches et à compromettre les récoltes. Il était partout suivi et houspillé par un des détenteurs de « Napoléons III », un ancien commerçant de Soissons qui n'était pas parti et dressait des plans de fouilles selon un calendrier draconien. Le gel précoce de ce terrible hiver en ralentit l'exécution sans affecter son acharnement. Ils remplacèrent la bêche par le pic et la pioche. Cependant, dès octobre, on s'aperçut un matin qu'Anna avait disparu. Jamais elle ne revint chercher son dû. Reine, qui ne l'aimait guère et mourait de honte en entendant les éclats de rire tonitruants de la géante, ne la regretta pas. Pour autant, elle ne retrouva pas vraiment son père. Avant sa fuite, la grande Anna ne

175

regardait plus son petit homme sans se frapper le front de son doigt terreux. Elle n'avait pas tort : « Le père, il *débigochait* complètement, comme on dit par chez nous. »

Reine en avait assez de toute cette terre bouleversée, et de son père, et de travailler sans être payée. Elle connaissait déjà la famille de son futur, qui lui avait trouvé une bonne place à Compiègne. Son père avait donné son autorisation d'un air hagard, pressé de retourner fouir. C'est donc en son absence que l'hiver 44 s'est refermé sur la Forte-Haie.

Son père est mort d'un coup, un matin de grand froid, dans le fond du parc, près de la clôture ; on l'a trouvé effondré sur sa pioche. Mme Edwige était déjà enterrée. Sans doute n'avait-elle rien su de tout cela. Le docteur Josse avait alors réglé à Reine tout un arriéré de gages, puis il était parti. La maison fut fermée. Au printemps, la Forte-Haie avait été réquisitionnée pour recevoir des orphelins et des enfants de prisonniers.

Le monsieur de Soissons a continué à venir, en compagnie d'un bûcheron de Boismesnil qu'il faisait creuser pour lui. Jusqu'à ce que la directrice leur ait intimé l'ordre d'arrêter, car les enfants s'étaient mis à leur tour à chercher le trésor et à faire des trous partout. La maison n'a été rachetée, rénovée, reconvertie en clinique, que quelques années plus tard, avec d'« autres gens ».

*

« Mais enfin, on l'a trouvée, cette cantine, et où ça ?

— Ah ! Vous ne savez pas ? On l'a trouvée, ou plutôt on les a trouvées — car il y en avait deux l'une sur l'autre

– en défonçant la terrasse pour les travaux d'agrandisse-
ment. Juste au-dessous de la grande table ronde en fer
que vous avez connue. Quand on y pense! Les nouveaux propriétaires avaient remplacé cette table rouillée
par une en pierre, mais juste au même endroit, au-
dessus des cantines, elles-mêmes enfouies avec un tissu
goudronné par-dessus, puis de la terre tassée, puis une
grosse épaisseur de gravier... »

Nul n'avait songé à la terrasse, si près de la maison.
Peut-être avait-on oublié qu'elle n'était pas cimentée,
sous le gravier. Mais on se demande comment le Docteur avait pu écarter la table, déblayer le gravier, creuser
le sol tassé, évacuer la terre sans laisser de traces, descendre les cantines dans le trou, – tout cela de nuit, à
proximité de gens qui dormaient mal et guettaient les
bruits... Les gendarmes, d'après Reine, prétendaient que
c'était du « travail de professionnel ». Sans doute le
Docteur s'était-il fait aider par un « fossoyeur ».
« C'était un saint, cet homme, mais il n'était pas très
charpenté, n'est-ce pas? C'est sûr qu'un terrassier l'a
aidé, un étranger au village, qui n'a pas pipé mot. Parce
que, mademoiselle Odile, on a retrouvé des richesses, là-
dedans! De tout! A vous, les gendarmes vont peut-être
les montrer... En tout cas, ils vont vous faire voir les
photos, pour que vous disiez si vous les reconnaissez. Et
vous remettre votre paquet. Mais je parle, je parle, je
vous retiens... Les gendarmes doivent vous attendre à
Compiègne! Pour quelle heure êtes-vous convoquée? »

Interloquée, j'avoue à Reine que je ne suis pas convoquée à la gendarmerie de Compiègne, mais à la mairie
de Boismesnil. Elle m'affirme que les cantines sont à la
gendarmerie de Compiègne, dans les Allées, en face du

golf. Alors, pourquoi cette lettre de la petite mairie du village ? La belle-sœur aux cheveux d'argent en pointe sur son petit front rose, elle qui a les clefs de la mairie pour « faire les poussières », croit connaître la réponse. Les gendarmes, avec l'aide de la justice, d'un notaire, d'un généalogiste, vont rechercher les personnes qui ont un paquet là-dedans, et les héritiers de ceux qui sont décédés. Mais ici, à Boismesnil, le secrétaire de mairie mène également une petite enquête à l'aide de son Minitel, d'abord « rapport à l'état civil ». Il paraît que le Docteur, alors qu'il était maire du village, avait fait figurer comme décédés, sous leur nom juif, quelques-uns de ses protégés, en même temps qu'il leur procurait une nouvelle identité. Ce qui avait valu des embarras insolubles à ceux de ses anciens pensionnaires qui, ayant cherché, après la guerre, à rétablir leur véritable identité, avaient dû persuader l'administration qu'ils étaient ressuscités. Et puis, la mairie était également intéressée à l'enquête « rapport au cimetière ». Deux personnes y avaient été enterrées sous de faux noms : une vieille dame (peut-être avant mon arrivée à la Forte-Haie, car je n'en avais nul souvenir) et un homme, « le mort empoisonné des rillettes », comme disait Reine. Leurs familles, plus tard, avaient voulu faire transférer leurs restes dans un cimetière juif pour les ré-ensevelir « dans leur religion ». Mais ces gens n'avaient pu fournir de preuves. Le Docteur devait avoir détruit les fausses cartes. La mairie n'avait pas laissé ouvrir les tombes, et cette histoire avait traîné des années, avec des rabbins, des lettres d'un ministre, tout !

« Maintenant que notre cimetière est plein et qu'il attire beaucoup, vu qu'il est si joli, la mairesse aimerait bien récupérer des places, vous comprenez, même si c'est des perpétuités. Pas pour elle, qui a déjà son caveau, mais pour les nouveaux résidents qui sont là à pleurer pour obtenir des emplacements... »

Si attirant que soit le cimetière où je me suis promis d'aller désherber la tombe du Docteur et de Mme Edwige, j'aimerais mieux, si possible, commencer par les gendarmes détenteurs de mon passé de jeune fille. Reine, devenue grand-mère, a le téléphone. Elle demande à parler à un certain brigadier, qu'elle tutoie (« C'est mon neveu », dit Thérèse), et m'arrange un rendez-vous immédiat – « pour le trésor de Boismesnil ». « Et ensuite, vous revenez souper chez moi, on en a encore tant à se raconter ! Si vous ne voulez pas repartir à Paris après, vous pourrez aller à l'Auberge : en semaine, il y a de la place. Je vous prêterais bien une chemise de nuit, comme vous dans le temps, mais j'aurais peur qu'elle soit un peu petite... »

J'ai ri de mon gabarit de vieille, comme il convient. Les deux belles-sœurs m'ont accompagnée jusqu'à ma voiture. Le soleil accusait les traces de larmes sur les joues mâchurées de la petite Reine, décidément plus fanée que fripée. D'un coup, voici qu'elle ressemble à son père, qu'il me semble voir soulever sa casquette pour s'éponger le front. Puis je me rappelle que le pauvre Ch'tiot est mort sur un sol glacé, durant ce terrible hiver-là. Il devait être déjà raide, quand ils l'ont trouvé. Comme j'en avais tant vus, de tout jeunes, en Alsace.

*

Je ne m'attendais pas à avoir le cœur si serré et la conscience si barbouillée devant ces deux petites malles de fer que l'on pose devant moi sur une table. Je n'ai pas été conduite ici menottes aux poignets, je n'ai rien à me reprocher, je ne crains aucun interrogatoire. A vrai dire, ce n'est pas le lieu, ce ne sont pas les gendarmes qui m'impressionnent à ce point. Du reste, ils sont mieux que corrects. Ils déguisent leur curiosité (ce n'est pas tous les jours qu'on a en dépôt un « trésor » arraché à la terre!) en intérêt déférent. L'émotion qui me gagne – au point que j'ai envie de fuir pour pleurer, ou tout au moins de détourner le regard de ces deux pauvres cantines datant de la Grande Guerre, encore roulées dans leur toile goudronnée souillée de terre –, l'émotion naît soudain du face à face avec la pure douleur d'un passé dont voici le legs inattendu, si tardif. Je crois bien que je frissonne, pour autant qu'on puisse frissonner de compassion. Pour la peur, l'humiliation, la souffrance de celles et ceux dont les noms, quelques souvenirs, quelques richesses dormaient là depuis si longtemps. J'avais perçu leur mal de vivre, jadis, mais, distraite et professionnelle, je l'avais qualifié de « pathologique », c'est-à-dire qu'il les détruisait de l'intérieur, troublant leur sommeil, leur appétit, leur pensée, leur parole; alors que le mal était ailleurs qu'en eux-mêmes. Il les cernait, les menaçait dans leur dignité et leur vie. Un homme, le temps de la traversée des Enfers, leur avait proposé de n'être plus que des ombres. Tous ceux-là, hommes et femmes, adultes et vieillards, avaient remis en confiance les preuves de leur vie de vivants à un nautonier pour les conduire sans dommage jusqu'au rivage libre où ils pourraient reprendre pied. Cet homme avait reçu en dépôt leurs peurs, leurs humiliations, leurs souffrances, et leur avait assuré, comme à moi, la meilleure des sécurités au prix de la sienne. Il avait caché là-dedans nos identités d'ombres, y compris la mienne que je ne lui avait pas confiée. D'un coup, je me revois, je me revis, rétive et risquée, la tête enflée du désir de combattre. Et si, d'interrogatoires en transferts, j'avais abouti à Ravensbrück, comme d'autres de mon réseau ? Je ne serais pas ici à penser à celui dont la femme, de sa voix de prophétesse, disait, sans la pudeur des mots qui nous bâillonne aujourd'hui : « C'est un héros, et un homme rare... »

Il avait caché les preuves de nous-mêmes dans ces boîtes de fer. Je l'imaginais, fossoyeur de la nuit, en pyjama, tel que je l'avais surpris un soir, lorsque je lui avais remis l'imprudent courrier de la dame qui avait tant envie de sucre. Je l'imaginais là, sous les fenêtres de son bureau, écartant sur la terrasse le gravier blanc et presque lumineux dans la nuit, levant les yeux vers les chambres aux rideaux tirés de tous ces insomniaques à sa charge, écoutant les bruits de la forêt nocturne. Oui, il devait avoir eu un complice, au moins la première fois, pour aménager la cache, bêcher cette terre plus tas-sée qu'aucune autre, la brouetter, la jeter au ruisseau, puis porter les cantines et les descendre au fond du trou. Un complice aux muscles solides et à la bouche cousue, qui, par la suite, avait dû partir et ne jamais revenir à la Forte-Haie. Auquel nul, pas même Edwige, n'avait pensé à l'heure de la Libération. Encore un cœur pur, demeuré inconnu. Les ouvriers du chantier pensent qu'il n'y avait qu'une très mince couche de terre sur la toile goudronnée enveloppant les cantines, sous le gra-vier, à l'abri de la table qui dissimulait et servait égale-ment de repère. Ainsi, quand besoin était, le Docteur pouvait seul écarter les cailloux et accéder à ce placard pour y remiser de nouveaux paquets. Cœurs purs et vieux stratagèmes : c'est aussi ce mélange démodé qui me touche.

Les gendarmes déplient la toile goudronnée raidie et terreuse. Elle devait amortir, vu son épaisseur, tout tintement métallique, et détourner l'humidité. Le souvenir me revient des garçons de ma nièce Julie, à qui je disais un jour : « Mais non, mais non, mes enfants, on n'avait pas de plastique, en ce temps-là ! » Ensemble ils s'étaient alors exclamé : « Mais comment faisiez-vous, alors ? » Voilà, justement, on n'avait pas de plastique, mais de la lourde toile goudronnée, de la tôle galvanisée, des cristaux de soude, que sais-je encore ?... On n'avait pas la pilule – mais comment faisiez-vous, alors, pour faire l'amour ? Eh bien, par amour, on ne faisait pas l'amour ! On se forçait, on s'abstenait, on se contorsionnait, on « se gardait » pour le mariage et pour le mari, et on se perdait corps et biens... Olga enfermée dans la cantine « se gardait » comme on se donne, consumée d'amour. Elle ne se croyait pas pure, elle ne se savait pas pure. Mais, moi qui ai pris sa suite et qui ne le suis plus depuis longtemps, moi qui pensais, hier encore, ne plus croire à la pureté, je sais bien, tout à coup, qu'elle était pure. C'est bien cela aussi qui m'emplit de gêne et de compassion et me fait regarder le plafond tandis que le brigadier soulève un couvercle métallique qui coince et grince.

*

Juillet 43-juin 44 : presque une année de pur amour sans toucher l'aimé, sans le voir, sans l'entendre, sauf en rêve. Une année sans le moindre talisman, pas une ligne de sa main, pas un portrait sauf ceux que moi-même, soir après soir, j'échouais à dessiner jusqu'au désespoir, m'accusant, non d'être malhabile, mais d'avoir mal regardé, quand il m'était donné de le voir, la ligne allant de sa tempe à sa joue ou la colonne de son cou de vainqueur. Je ne pouvais vivre que sur ce que j'avais su thésauriser de Paul. Parfois, un grand vide blanc s'installait dans ma mémoire trop sollicitée, et sa luminescence anéantissait tout par son éclat. La plupart du temps, je veillais, lovée au centre d'une toile d'araignée, et il suffisait que l'on prononçât près de moi quelque terme barbare d'anatomie, ou le nom d'une rue de Paris, ou tel mot-phare d'un poème que Paul aimait, – d'un coup, le filet ultrasensible était électrisé : l'espace d'un éclair, Paul m'était rendu, je l'entendais, le voyais. Il me fallait vite capter ce court miracle et l'apprivoiser jusqu'à en faire un souvenir à volonté disponible. J'étais devenue une dévote de la pensée perpétuelle pour maintenir en vie mon amour. Si je m'apercevais que j'avais relâché même quelques instants cette obsession obstinée, je me persuadais qu'à la minute précise de ma défection un malheur lui était arrivé. J'essayais de réparer ma négligence involontaire par une concentration d'amour qui me faisait fermer les yeux et plisser les paupières. « A quoi pensez-vous, Odile ? – J'ai mal à la tête... »

Le plus dur était de ne jamais parler de Paul. Par exemple le soir, lorsque, le dîner expédié de bonne heure, comme dans toutes les cliniques, je montais dans la chambre de Mlle Puech écouter la radio anglaise, l'oreille contre le poste. Du fond des sifflements et grésillements du brouillage sortait, jeune et chaude, la voix de Pierre Bourdan : « *Les Français parlent aux Français...* » Je savais bien que cette voix venait de Londres, qu'il s'agissait d'un inconnu devenu familier ; pourtant, chaque fois, je me persuadais qu'il ne s'agissait peut-être pas de Pierre Bourdan, mais de Paul, tant la voluptueuse surprise du timbre réveillait chaque soir des frissons à fleur de peau. Le plus dur était de ne dire que : « C'est étrange, cette voix me rappelle quelqu'un... »

Presque une année j'ai veillé sans distraction sur la pensée de mon amour emprisonné. Dans ma petite chambre mansardée de la Forte-Haie, un modeste miroir au-dessus du lavabo ne me permettait pas des débauches narcissiques. Placé face à la fenêtre, il se glaçait d'argent les nuits de lune. A force de le fixer depuis mon lit, je me figurais faire avancer les nuages qui le voilaient parfois, afin que le temps passe plus vite et que nous nous retrouvions tous deux à notre point de départ, enlacés, nus et haletants, et qu'enfin nous allions jusqu'au bout... Ce fut une année d'amour épuré comme je n'en ai plus jamais vécu ni même ressenti. Ce fut une année de pur amour qui n'a servi à rien ni à personne : ni à l'aimé ni à l'amante. Il n'en est rien resté, jusqu'à ce jour, cinquante ans plus tard, où je découvre qu'il me fait un souvenir dont je suis émue et fière, mais aussi confuse, parce qu'indigne. Après tout, c'était moi, cette vestale que j'avais oubliée, vouée au culte d'un beau jeune homme très doué. Par la suite, je n'ai cru aimer que des êtres bizarres, des ratés que je prenais pour des victimes, des aigris que je croyais révoltés – et mon père de soupirer, pour chacun de ceux qu'il avait aperçus : « Où as-tu été pêcher ce type-là ! » Il ne comprenait pas, ni moi non plus, que je me refusais à aimer à nouveau comme Olga *alias* Odile, parce que je ne voulais pas souffrir comme elle avait souffert en toute pureté.

*

En toute pureté et dans le silence, de juillet 43 à juin 44, au cœur de la forêt de Compiègne. Car, dès mon arrivée parmi les camarades de maquis, dans les bois de Sologne, le silence, tabernacle de mon secret, avait volé en éclats. Là, presque tout le monde soit connaissait Paul, soit était au courant de son arrestation. Il n'était pas à moi seule. Il était l'un de « nos vaillants prisonniers que nous libérerons » ou « que nous arracherons à l'ennemi », comme nous disions en ce temps-là où notre langue de bois était une langue de feu. Parfois, je surprenais des camarades parlant de Paul, qui se taisaient en me voyant. Mon statut par rapport à Paul demeurait tabou. Je me rattrapais avec Denise : comme deux « meilleures amies » de vingt ans, nous n'avions qu'un sujet de conversation, sans cesse modulé – les garçons. « Alors il m'a dit... Alors je lui ai dit... » J'embellissais mes récits à toutes petites touches. Denise m'écoutait en souriant, bouche fermée.

A partir d'octobre 44, au service de santé des Armées, j'étais à nouveau seule, sans « meilleure amie », et nul, dans mon unité, ne connaissait Paul. J'aurais pu recréer, comme à la Forte-Haie, la pureté du secret. Mais, « pour mettre les choses au point » avec mes supérieurs, avec les infirmiers, les brancardiers, les malades et les blessés, j'avais cru bon de raconter que j'étais fiancée, « officielle ». Nul bientôt n'ignora plus que je conservais sa photographie contre mon cœur, comme un bouclier, pour décourager les mains chercheuses et les lèvres frôleuses des jeunes mâles qui m'entouraient. Je n'en sentais pas moins la chaleur de leur désir. Je n'en entendais pas moins leurs propos salaces auxquels je riais sans retenue. Je n'en découvrais pas moins, chaque jour, en soulevant leurs draps pour les examiner, les corps nus des jeunes malades et blessés. Je n'en étais pas moins cernée par de jeunes hommes ardents qui risquaient leur vie et qui me trouvaient désirable, et leur odeur me montait à la tête.

La deuxième cantine est posée à même le sol à côté de la première. Le brigadier s'affaire à tirer une tige de fixation qui résiste. Comme il parvient enfin à soulever les deux couvercles, j'approche ma chaise, me courbe en avant, autant que me le permet mon embonpoint, genoux écartés, et tire sur ma jupe qui se relève. C'est dans cette posture, le cou tendu, que je me penche sur mon passé. La fraîche Olga de vingt ans dont on va me restituer quelque souvenir oublié aurait honte de son avatar. Elle avait le ventre plat, elle, et les seins fermes, quoiqu'elle les trouvât trop développés, trop provocants, au point d'avoir pris, vers dix-huit ans, l'habitude de ramener ses bras sur sa poitrine, comme pour contenir ou dissimuler son cœur. Curieuse manie, en vérité, chez la téméraire que j'étais alors, que ce geste qui soulignait plutôt sa vulnérabilité à vouloir la masquer d'un bouclier intermittent. Aujourd'hui que ma poitrine est plutôt un giron rassurant, je ne croise plus les bras pour en dérober les formes alourdies. J'ai perdu toute timidité physique, toute gêne de mon corps, que j'accepte sans l'aimer, avec simplicité et surtout avec indulgence.

Indulgence pour moi, qui ne me culpabilise plus d'être grosse, sachant que je n'y puis pas grand-chose, et indulgence pour les autres, même envers les méprisants, qui ne m'impressionnent pas, et certains méprisables à l'endroit de qui je ne me donne pas la peine de développer des griefs. Au fil des ans, au fur et à mesure que s'est affiné mon diagnostic médical, j'ai développé parallèlement un flair certain pour déceler les failles des uns, les angoisses des autres, et j'ai peu à peu appris à tous les envelopper dans une mansuétude distante. C'est bien pourquoi je me demande encore ce qui m'a pris, ce matin, de piquer une petite rage contre les blancs-becs qui cognaient ma voiture. Sans doute était-ce la jeune Odile-Olga qui revenait m'habiter, elle qui ne connaissait pas la longanimité ni le détachement, aussi intransigeante qu'exigeante, toujours mobilisée, fougueuse, prête à ferrailler les tièdes et les lâches, imprudente et sans nuances.

Comment cette jeune ardente jugerait-elle la vieille indifférente que me voici devenue, assouplie « par la force des choses » ? Mais laquelle des deux comparaît aujourd'hui devant l'autre ?

X

Les cantines enfin ouvertes, je demeure stupéfaite. Je m'attendais à des portefeuilles en cuir terni au milieu de papiers à l'odeur de moisi. Or, ce que je vois rappelle davantage le contenu d'un congélateur : ce ne sont que sacs en plastique épais et transparent, à l'évidence tout neufs, du type de ceux qu'on utilise pour envelopper les conserves « maison » qu'on souhaite réfrigérer. Dans certains films policiers, on voit l'enquêteur introduire dans un semblable sac le revolver précautionneusement ramassé avec un mouchoir, ou la tasse à café maniée avec des pincettes afin de ne pas brouiller les empreintes qu'elle est censée porter.

« Nous avons emballé les lots séparément, avec des noms, parce que, sans ça... Regardez ! »

D'un sac en plastique, le gendarme extrait un paquet de quatre écrins noirs attachés à la diable à une pile de grandes enveloppes jaunes par une cordelette de chiffons tressés pareille à celles qu'il nous était arrivé de confectionner, les malades et moi, lorsque le mauvais temps interdisait la promenade et qu'on se réunissait au salon près d'un feu de bois. « Voulez-vous quelque chose à faire? Voulez-vous nous aider?» On s'installait autour des tables. Ici on tricotait, là, on fabriquait des calepins pour la mairie, des cahiers pour l'école avec toutes sortes de vieux papiers, là encore, on nattait serré des chiffons en charpie, car le Docteur se disait à court de ficelles pour arrimer à la remorque de sa bicyclette son énorme appareil à mesurer le métabolisme ou la bonbonne d'eau distillée nécessaire au générateur d'électricité. De légères pétarades fusaient des bûches. Un malade se râclait la gorge à intervalles réguliers. Une autre chantonnait en se balançant d'avant en arrière. Un autre lançait d'un air entendu un petit rire qui se déclenchait comme une mécanique. Surveillante j'étais, et même vigilante, postée près de la cheminée non pour prendre toute la chaleur, mais parce que j'étais seule préposée au feu, seule habilitée à tisonner ou à jeter les rognures de papier et de chiffons dans les flammes. Mes yeux parcouraient sans cesse mon ouvroir de fortune, que je croyais composé uniquement de malades, et revenaient surtout vers les tables disposant de ciseaux. Les tresses de chiffons une fois terminées d'un nœud, nous les pelotions avec fierté en grosses balles fermes. Il me prenait parfois l'envie de déclencher une bataille à coups de boules de coton silencieuses pour introduire un sain désordre dans ce calme factice ponctué de tics et souligné d'un fredonnement machinal. Jusqu'au jour où j'invitai Mme Guilloux à se mettre au piano plutôt que de renifler avec distinction sur son tas de chiffons lacérés. Le façonnage des cahiers et des cordelettes se transforma alors en récital. Nous nagions dans la musique avec extase tout en occupant nos doigts. Il était entendu qu'on attendait les pauses entre les mouvements pour déchirer la toile ou arracher des pages, cependant que les tousseurs toussaient. La musique avait raison même des réflexes bruyants, qui s'interrompaient alors comme par magie. Je me promettais de faire plus tard des recherches sur la musicothérapie en psychiatrie. Mais, le plus souvent, je revivais les concerts à la salle Gaveau, mes doigts emmêlés à ceux de Paul tout le temps que déferlaient les notes.

*

Aujourd'hui, je pense à ceux et celles qui n'étaient pas malades et communiaient en pensée avec leurs absents, leurs disparus, tout en tressant les liens avec lesquels le Docteur attacherait leurs souvenirs de famille, leurs objets précieux, leurs papiers. Le sac en plastique dont le brigadier vient d'extraire ce paquet mal ficelé est étiqueté au nom de Lydie Goldenberg, née Sachs. Rongée par l'humidité ou cuite par l'âge, la cordelière s'effiloche. Les boîtes tombent à terre, entraînant les enveloppes qui s'éparpillent. Un autre gendarme se lève et vient les ramasser.

« Qu'est-ce qu'il y a, dans ces enveloppes ?

— Des actions, des obligations, des titres au porteur, une petite fortune périmée... Me Gauthier, le notaire chargé de rechercher les héritiers, va en faire l'inventaire et l'évaluation. Sans doute ne sont-ce plus que des bouts de papier sans valeur, tout comme les livrets de Caisse d'Épargne datant de 1940 ou 41, en anciens francs... Il y a même des vieux billets... »

D'immenses billets de mille francs qu'on sort d'une des enveloppes... Je ne parviens pas à les reconnaître.

Peut-être n'avais-je jamais vu de billets de mille francs, à l'époque? En tout cas, je n'en avais jamais manié. Ils n'ont pas l'air français. Pourtant, celui que je prends pour voir porte bien la mystérieuse inscription qui, enfant, me plongeait dans la plus profonde perplexité : « *Le contrefacteur sera puni...* » Je savais ce qu'était un facteur, mais un contrefacteur?

Je songe à ce pauvre docteur Josse qui, après la Libération, ne pouvait plus payer le personnel ni acquitter les dettes de la clinique, parce que tant de pensionnaires s'étaient envolés sans avoir réglé leur dû, faute de récupérer leurs petits trésors personnels. Il ignorait qu'il prenait son café de glands au-dessus d'un coffre-fort rempli.

« Rien de plus triste que du papier-monnaie qui n'est plus que du papier... Dire que cela représentait du travail, des veilles, des espoirs, une sécurité!

– Il y a plus triste encore, madame, ce sont les enveloppes comme celle-ci, remplies de photographies. Des êtres chers. Croyez-vous que les héritiers, si tant est qu'on les retrouve, sauront seulement de qui il s'agit? Les personnes qui les ont confiées pour être cachées ne pouvaient les conserver près d'elles, c'était trop dangereux. Sans doute les ont-elles cru perdues pour toujours... Peut-être y a-t-il là le portrait de gens morts dans les chambres à gaz? »

Au moins sont-elles provisoirement tombées entre les mains d'un homme sensible, un jeune gendarme au teint frais qui secoue la tête en faisant défiler des images : une petite fille coiffée à la Jeanne d'Arc, un jeune homme vêtu de blanc serrant une raquette contre son cœur, une vieille dame à col de dentelle fermé d'une broche...

« Regardez la broche ! C'est la même ! »

Le gendarme sentimental cherche parmi les écrins et m'en ouvre un sous le nez, épiant ma réaction. J'aperçois de bleus reflets de saphir dans un miroitement de petits brillants, mais mon aversion pour les bijoux est la plus forte, et je détourne la tête.

« Ça, c'est autre chose, pas vrai ? Ça n'est pas périmé ! Vous avez de la chance de les voir, parce qu'on va les mettre tout à l'heure sous scellés ! C'est du beau, ça, du vrai beau ! Vous avez remarqué ce qui est écrit ? »

Je ne connais rien aux bijoux. Parce que l'écrin est offert à ma vue avec un tel enthousiasme, je fais mine de contempler une très belle broche et deux boucles d'oreilles, mais leur éclat, passé tant d'années, après la mort de leur propriétaire, me semble indécent. Ces bijoux scintillent de défi : vieillissez ! souffrez, mortelles ! décédez les unes après les autres ! nous continuerons de briller ! *Despair and die...*, nous survivrons éternellement... Puis je remarque « ce qui est écrit » sur le satin molletonné doublant le couvercle : *H. Goldenberg, joaillier, Reims.* La longue, noble et si mélancolique Mme Guilloux, ma Marie-Madeleine de prédilection, était donc la bru et sans doute la femme d'un bijoutier de province... Soit ! Pourquoi pas ? La femme triste de Baudelaire qui jouait si bien Schumann habitait peut-être, avant-guerre, un appartement cossu au-dessus d'une belle boutique, ou une villa modern'style de ces quartiers de Reims froidement reconstruits après la Première Guerre, non loin de la pompeuse synagogue. Mais sa tristesse ne devait rien à la joaillerie. Je me rappelle comment, s'étant beaucoup fait prier, elle s'asseyait devant le piano à queue de la clinique. Elle commençait par s'essuyer les yeux avec un mouchoir roulé en tampon, puis elle posait le mouchoir à l'extrémité du clavier, retirait ses bagues une à une, main droite, main gauche, comme si elle se dépouillait de ses attaches avec la bijouterie, elle ne conservait que son alliance, cachait ses bagues dans le mouchoir encore humide de ses larmes, puis, bras levés, reformait du bout des doigts le rouleau de ses cheveux soyeux, enfin se ravisait et ôtait son alliance, la fourrait dans le mouchoir, frottait doucement ses paumes nues, et attaquait la *Fantaisie en ut majeur* ou la *Sonate en fa dièse mineur* de Robert Schumann, qu'elle jouait à la perfection, avec une rare vigueur.

*

« Puis-je voir les papiers de cette personne ? »

On me tend une carte d'identité « État français », barrée d'une haute suscription en capitales rouges : JUIF. Ce rouge n'a plus l'éclat agressif de celui qui surchargeait la carte d'alimentation de la vieille dame au tremblement « essentiel », dont j'avais été si troublée que j'étais aussitôt allée « rapporter » au Docteur. Je me rappelais fort bien ces lettres d'un rouge minium, indélébile et presque phosphorescent, sur la carte d'alimentation de Mme Lévy. C'était le premier papier « juif » que je voyais – le dernier également, car, de toute la guerre, je n'en ai pas vu d'autres. Mais, sur la carte d'identité que le gendarme vient d'extraire d'une enveloppe du paquet « Goldenberg », le rouge de l'inscription JUIF, terni, a pris les tonalités brunâtres du sang séché.

Dans les rares expositions réunissant les rares documents du temps de l'Occupation échappés aux destructions, les enfants d'aujourd'hui, amenés en car avec leur école, escortés par leur professeur, passent distraitement devant des étoiles jaunes qui ont perdu leur éclat de soufre pour virer au beige, des triangles d'un rouge éteint frappés d'un « F » noir pour " France ", cousus au côté gauche des défroques rayées des rescapés politiques des camps, communistes et résistants. Ces couleurs vives qui devaient proclamer l'infamie et provoquer les injures, les coups, la mort, ces couleurs vives qu'il était impossible de dissimuler quand elles vous avaient été attachées, les voici amorties – comme le rouge de la tunique de galérien protestant exposée au musée du Désert, dans les Cévennes, qui fait tant pitié mais ne cause plus de frayeur.

Avec la carte d'identité marquée JUIF, une carte d'alimentation sans surcharge ; pourtant, toutes deux sont établies au même nom : Sachs, épouse Goldenberg, Lydie, née à Anvers, Belgique, le 25 juin 1905 – l'année même où mon père, à neuf ans, juste arrivé de Saint-Pétersbourg à Paris, était admis dans le petit collège voisin du lycée Montaigne, parce qu'il parlait très bien le français qu'il écrivait encore très mal. Apparemment, Lydie, petite Anversoise, était née ou devenue française, et domiciliée à Paris dans la solennelle rue de Prony, entre la salle Pleyel et l'École normale de Musique, et non point à Reims, comme le joaillier de la famille. Ces renseignements alimentent ma curiosité, mais pas ma mémoire, alors que la photographie, si petite soit-elle, ranime les souvenirs avec une mystérieuse insistance. Je reconnais si bien ce fin visage mélancolique avec ses yeux clairs non pas à l'oblique, mais, au contraire, légèrement tombants, comme la *Flore* de Botticelli qui sourit de la bouche et pleure du regard sous ses fins sourcils en pont chinois ; je reconnais si bien la ligne allongée du menton qui tremblait quand montaient les larmes, les cheveux relevés sur les tempes, l'amorce du long cou dont la maigreur a dû s'accentuer avec l'âge...

Moi qui, à l'instant, me reprochais de n'avoir pas compris l'épreuve singulière de ces Juifs cachés au milieu de névrosés et de psychotiques, je retrouve, en contemplant la petite photo de Lydie Goldenberg telle que je l'ai connue, la certitude diagnostique qu'elle souffrait aussi d'une dépression endogène. Ne l'avais-je pas veillée au sortir d'électrochocs ? Ne mordait-elle pas si fort, en phase clonique, le caoutchouc-mousse introduit dans sa bouche par précaution, qu'il était difficile, par la suite, de le lui retirer avant son réveil ? Oui, elle avait, longue et frêle Marie-Madeleine, une étonnante réserve de puissance dans les mâchoires, aussi remarquable que sa vigueur de toucher au piano.

« Je la reconnais très bien. Je l'ai soignée quand j'étais infirmière à la Forte-Haie, pendant la guerre. Nous l'appelions Mme Guilloux. C'était une femme très élégante qui jouait admirablement du piano. Cependant, elle pleurait tout le temps et ne dormait pas : peut-être lui avait-on arraché un être cher ? Puis-je voir ses photographies ? »

*

Voici donc le condensé d'une vie dérobée, ce que Lydie Goldenberg avait emporté pour l'éternité, son identité vraie, sa famille de sang et ses amours. Si, assombrie par la dépression, elle avait été conduite par les siens pour aller un temps soigner sa souffrance dans ce qu'on appelait alors une « maison de repos », elle n'aurait sûrement pas pris avec elle un tel viatique de photographies disparates. Il y en avait bien une centaine. C'est dans la hâte de l'épouvante, pressée par une menace imminente, peut-être dans l'heure suivant quelque funeste nouvelle, qu'elle avait littéralement arraché à divers albums dont le papier collait encore au dos les preuves irremplaçables de sa vie antérieure et de son vrai passé. De petits instantanés à bords dentelés dont le papier glacé s'enroulait sur lui-même se cachaient entre les épais cartons biseautés-or de portraits sépia d'autrefois. Ceux-ci attestaient de l'honorabilité des aïeux et bisaïeux de cette femme pourchassée. Ce n'étaient que hauts bourgeois engoncés de drap noir, portant leurs chaînes d'or en place de brandebourgs, barbes frisées et favoris blonds. L'expression sévère de l'un d'eux, chapeauté de noir, résistait au comique involontaire des papillottes rituelles encadrant son visage. Les dames, prises jusqu'au cou dans des ruchés de taffetas sombre égayé de joyaux de prix, posaient, l'air inspiré, la main sur un livre qu'on eût aisément pris pour un missel. Toutefois, à côté des noms flamands des photographes d'Antwerpen ou de Gent imprimés en lettres dorées, on pouvait lire, au-dessous de chaque portrait, tracés à la plume par diverses écritures toutes fermes et penchées, les noms des arrière-grands-parents Schwob, Sachs ou Feldmann, des oncles Benjamin et des tantes Rachel, toute une parentèle de luxe aux belles mains musiciennes, – bien plus qu'il n'en fallait pour se voir attribuer l'étoile jaune de la mort.

Des instantanés souvent agrandis reproduisaient Lydie et ses parents, un père à lorgnon, seul de tous ces visages à sourire franchement, en montrant les dents, une mère toujours de trois quarts pointant son menton un peu long, la commissure des lèvres trop serrée (sans doute, sous cet angle, se trouvait-elle plus distinguée, l'air anglais...?), Lydie à tout âge avec ses yeux de *Flore* triste à côté d'un frère également blond et longiligne serrant sur son cœur une raquette de tennis – Lydie au piano, adolescente, jeune fille, jeune femme, piano droit, quart de queue, demi-queue, grand piano de concert, cette dernière fois en compagnie d'un homme aux yeux bombés qui regardait l'objectif d'un air triomphant, le menton calé sur un violon maintenu de la main gauche tandis que la droite, tenant l'archet, reposait sur l'épaule de Lydie, une Lydie en profil perdu devant le clavier, le cou ployé pour poser sa joue sur la main du violoniste, une Lydie en robe rayée à taille basse assez courte pour mettre en valeur le galbe de jambes brillantes de soie jusqu'aux fins souliers à brides posés sur les pédales du piano. Les deux mêmes, côte à côte, elle en mariée, le voile ramené sur le front maintenu au ras des sourcils par un diadème orné de brillants – la joaillerie rémoise du mari, ou anversoise de la mariée? –, lui, le cheveu très noir, avec deux yeux différents, l'un saillant et gai, l'autre enténébré. Sur plusieurs variantes du même mari, on retrouvait le regard caressant de ces yeux dissemblables. Il avait le menton bleu malgré les rasages : le genre d'homme qui pique en embrassant, jusqu'à laisser des traces de meurtrissures autour de la bouche. Le même avec un cigare, avec un violon, le même encore en pardessus noir devant une belle automobile, aux côtés d'un personnage à tête de ministre. Plusieurs photographies de maisons avec jardins, sur lesquelles j'aimerais m'attarder...

*

Mais un supérieur vient d'entrer, un officier de gendarmerie qui ramasse les images des différents logis de Lydie et remet en vrac dans la grande enveloppe d'origine la tante Hannah et le bébé au berceau, les rosiers grimpants sur une pergola de pur style Maeterlinck, les pianos, le mari avec cigare, le mari lisant dans un rocking-chair, le couple en Bretagne, les parents, le frère, les programmes de concerts que j'avais sortis pour les étudier attentivement.

« Puis-je vous demander, madame, de bien vouloir justifier de votre identité ? Nous avons déjà trié et étiqueté le bien de chacun dans ces malles, nous avons établi un inventaire, mais nous n'avons pas encore entamé les enquêtes de recherche des personnes. Vous semblez avoir été la première prévenue – la première à se présenter, en tout cas. Je vous remettrai le paquet qui vous revient dès que vous m'aurez montré vos papiers. Mais seulement votre paquet... »

Que croit-il ? Que je vais dérober des « Napoléons III » dans les locaux mêmes de la gendarmerie ? Pour la deuxième fois de la journée, je fouille dans mon sac. J'exhibe la lettre de la mairie de Boismesnil, mon passeport, mon permis de conduire en loques mais toujours flatteusement illustré, et ma carte d'identité retrouvée *in extremis* dans une poche où elle n'aurait pas dû être. Deux fois dans cette même journée, j'ai dû présenter tout ce fourbi. Cela me rappelle mes missions, toujours sous un soleil torride : l'aéroport de Mogadiscio où je faisais mine de contempler les oiseaux noirs tournoyant au-dessus du tarmac puis s'abattant en sinistres colonies au pied des rares avions, mais où je m'inquiétais surtout de l'étique policier somali qui semblait ne savoir lire que les caractères arabes et examiner mes visas en tenant mon passeport à l'envers. Ou encore, à l'entrée du camp de réfugiés de Kamput, je me revois face au colonel thaï qui, chaque matin, assis en équilibre sur une chaise basculée en arrière, les pieds sur son bureau, s'amusait à jouer avec mon passeport et à me faire attendre debout pendant dix bonnes minutes avant de me tendre mon laissez-passer quotidien ; le ventilateur qui, à chaque révolution, soulevait ses cheveux de jais et dérangeait les papiers sur son bureau, ne m'atteignait pas de sa caresse ; je mourais de peur qu'il ne prît à ce gradé la fantaisie de fourrer mon passeport dans son tiroir, me laissant à jamais ainsi, debout sur mes jambes enflées de quasi-sexagénaire mal préparée à l'étouffoir de la saison sèche aux frontières du Cambodge. Déjà quinze ans de cela... Aujourd'hui, je ne redoute rien de tel ! Mais je ne veux pas quitter Lydie Goldenberg, enfin découverte en lieu et place d'une Mme Guilloux inexistante dont même sa voisine de chambre Lévy n'avait pas soupçonné la judéité. Je reprends trois photographies. Peu m'importent ses saphirs, ses diamants. Je veux encore apprendre à la connaître, à la reconnaître, moi qui suis passée si près d'elle sans comprendre.

J'ai dû entrer dans sa chambre à la Forte-Haie presque chaque soir pour lui délivrer le précieux gardénal dont elle était déjà dépendante. Je frappais. Elle était étendue sur son lit, une main sur le front, point encore dévêtue, refusant déjà les rites du coucher dans sa bataille contre l'abandon du sommeil. Elle m'affirmait chaque soir que le Docteur l'avait autorisée à doubler sa dose, pour « moins redouter la nuit et sombrer », puisqu'elle ne savait plus s'endormir. Et moi de secouer la tête, mi-apitoyée, mi-moqueuse, pour lui faire entendre que, toute jeunette que je fusse, on ne me manipulait pas ainsi ! J'étais assez contente de la manière gentille et ferme dont j'établissais la distance avec sa tristesse suppliante, en dépit de la prédilection que j'avais pour cette femme qui ressemblait quelque peu à la mère de Paul. Si au moins elle m'avait appelée « ma petite fille » ! Mais elle se souciait aussi peu d'entrer dans mon rêve que moi de partager son angoisse. Je m'avise seulement aujourd'hui qu'à la suffisance de mon âge s'ajoutait la certitude d'être, au regard de la guerre, la seule personne intéressante de la maisonnée, – résistante recherchée jouant à l'infirmière au milieu de malades étrangers au malheur public, dérangés seulement à l'intérieur d'eux-mêmes... Bien sûr, Josse se cachait, comme Mme Lévy, *alias* Huret, mais ils n'avaient pas choisi cette implication passive. Moi j'avais choisi, je n'étais pas de ceux qui subissent l'Histoire, je n'avais pas dit mon dernier mot, je reprendrais ma place auprès des miens, ce n'était là qu'une pause, j'étais toujours revêtue de mon armure patriotique, je vivais pour la vengeance collective, bientôt je quitterais tous ces zombis...

Tous les soirs, je posais un cachet sur la table de chevet et, d'un ton de chaleureuse compassion, je souhai-

tais à Mme Guilloux « une vraie bonne nuit », pressée
de refermer la porte de la chambre « Les Jonquilles ». Je
ne m'étais jamais avisée qu'il n'y avait dans cette
chambre aucune photographie.

*

En ces temps sans Sécurité sociale, dans les maisons
de santé de la classe de la Forte-Haie, seuls les malades
issus de milieux fortunés pouvaient faire de longs
séjours. Eux et leur famille n'étaient du reste pas loin de
penser que les maladies des nerfs étaient réservées aux
personnes distinguées, prédisposées par le raffinement
de leur éducation et leur relative oisiveté. Les chambres
de la clinique ne ressemblaient en rien à des cellules
d'hôpital : meubles laqués gris Pompadour et cretonnes
fleuries, tapis assortis sur parquets cirés, vue apaisante
sur le parc et la forêt encadrée de grands rideaux volan-
tés, lampadaire à lumière tamisée près d'une méri-
dienne, — sauf lorsqu'il fallait soustraire tout objet
superflu ou toute verrerie à l'agitation de certains délirants. En fait, selon la nature de l'affection du patient,
les chambres étaient plus nues qu'une chambre d'hôtel,
ou bien s'emplissaient de collections maniaques et
d'écrits compulsifs disposés dans un ordre redoutable
que les bonnes savaient devoir ne pas altérer d'une
ligne, ou bien donnaient encore une impression d'intimité personnalisée. Dans ces chambres-là, à côté de la
pendulette venant de chez soi et des fleurs apportées par
la famille en visite, sur la commode, sur la table, sur le
chevet, dans des cadres en argent ou des présentoirs en
cuir repoussé, des ribambelles d'enfants sages souriaient,

tête penchée, et des adultes pensifs pensaient, le front nimbé d'une discrète lumière, à la manière des portraits d'écrivains signés des studios Harcourt. La famille, qui payait la pension, appréciait de retrouver ses photographies exposées : « C'est la preuve qu'elle reste attachée aux siens, n'est-ce pas, docteur ? A la maison, elle ne nous parlait plus ! Elle est tout de même bien mieux ici ! »

Chaque jour, je pénétrais dans les chambres aux noms de fleurs (*Les Capucines, Les Ombelles, les Scabieuses...*, une idée de Mme Edwige, fervente botaniste) pour laver les vieillards, apporter de la nourriture aux anorexiques isolées, faire se lever les mélancoliques lovés en chien de fusil sous leurs couvertures, inspecter les coins et recoins chez les alcooliques en désintoxication, reconduire les dépressifs réveillés des électrochocs, distribuer les médicaments, etc., et j'associais chaque fois le décor au patient. Comment ne m'étais-je pas aperçue de l'absence illogique de photos dans certaines chambres qui auraient dû en déborder ? Et que les mêmes qui parlaient sans cesse de leur famille avec une affection profonde ne recevaient pas de visites, et se voyaient adresser de bien rares lettres par la poste ?

De menus faits oubliés me reviennent en mémoire : chez Mme Charbonnier, petite brune hyperactive, on trouvait des piles de *Modes et Travaux,* des montagnes de pelotons de laine, des écheveaux à peine détricotés, encore tout frisés, qu'elle lavait dans son lavabo, des fleurs séchées, des collections de *L'Illustration,* tous les mots croisés de Tristan Bernard, tous les romans des trois « M » (Morand-Maurois-Mauriac), mais pas une seule photographie. Au mur étaient punaisées de petites

fiches incompréhensibles : « J : L.M. 43, H.D. 34 » ou
« A : T.T. 50, T.H. 75, L.J. 45 », etc.

« Ce sont des coups aux échecs ou des messages
secrets pour la BBC ? lui avais-je demandé en souriant.

— Pourquoi dites-vous ça ? Ça fait louche ? Dans ce
cas, retirez-les, on n'est jamais trop prudent. Si un jour
les Allemands fouillent les chambres...

— Mais qu'est-ce que c'est donc ?

— Les mensurations de mes enfants : longueur de
manches, hauteur du dos, enfin, vous voyez... Jetons
cela, du reste, je les sais par cœur !

— Il n'y a rien de mal à conserver près de soi les mensurations de ses enfants, n'exagérons rien !

— Je ne veux pas qu'on sache que j'ai des enfants. Ils
sont bien là où ils sont, tout à fait bien —, mais il ne faut
pas parler d'eux. Dites que je tricote pour les bonnes
œuvres. »

J'avais jeté les petites fiches, en boule, dans la boîte à
ordures, en attribuant cet excès de prudence à un tem-
pérament paranoïde. En avais-je parlé à Josse, qui
aimait bien Mme Charbonnier et l'emmenait au fond
du parc en parlant avec animation ?

*

L'officier de gendarmerie ne s'est pas laissé fléchir.
Toutes les images de la vie libre de Lydie Goldenberg
disparaissent dans la grande pochette jaune d'où je les
avais extraites et sur laquelle est écrit : SACHS-
GOLDENBERG *Lydie, photographies : 89.* Il me demande
d'un ton neutre, comme s'il s'agissait d'une banale for-
malité :

« Vous ne voulez donc pas vos documents ?

– Si, bien sûr, je suis venue pour cela... Mais les autres ? Je ne pourrais pas voir les photographies des autres ? Je ne suis pas curieuse de leurs bijoux ni de leurs pièces d'or, mais j'aimerais tellement les revoir, eux... De moi-même, je me souviens, mes vingt ans, vous pensez ! Mais ces personnes que j'ai connues sans les connaître, que j'ai soignées sans savoir... »

N'ai-je pas décidé tout soudain de prendre ma voiture et de rouler jusqu'à Boismesnil pour éclairer ce passé, en rechercher le sens ? Or, voici que le sens caché qui m'attendait ici depuis cinquante ans, c'est le dévoilement des autres, ces autres que j'avais pris pour des figurants et qui étaient de vivants secrets. La vue de toutes ces bulles de plastique opaque empilées dans les vieilles cantines a quelque chose d'exaspérant.

Quand j'étais petite, Mémé de Saintes invitait parfois des enfants à jouer avec nous dans son jardin et, avant le bon goûter, armés de cannes de bambou d'où pendait une ficelle terminée par un crochet de fer, nous allions pêcher de petits cadeaux enrobés de papier crépon qu'elle avait soigneusement enfouis dans une caisse de sable fin – « du sable de la Côte sauvage », précisait-elle. De chaque petit paquet n'émergeait que la coque de ruban qui permettait de l'accrocher. Moi, j'observais anxieusement et sous tous les angles les ondulations de sable en tournant vingt fois autour de la caisse pour tenter de deviner la forme des « surprises » avant de donner le signal du départ, que je considérais comme me revenant, puisque j'étais la plus grande. Pourtant, je ne tirais de cette inspection que de piètres indications : la silhouette soupçonnée d'une poupée pouvait se révéler n'être qu'une trompette, alors que la fille de la voisine héritait d'un mince porte-plume en corozo sur le manche duquel un œilleton magique permettait de découvrir le phare de Cordouan en couleurs... L'excitation, c'était avant le déballage, avant la possession, avant la déception. C'était la curiosité, l'envie folle de farfouiller, de déterrer, de savoir. Je ne me rappelle plus si la curiosité figure ou non parmi les sept péchés capitaux aux côtés de la colère et de la luxure, mais je sais que la curiosité envahit comme la rage et le désir. Me voici submergée par une vague de curiosité de la même veine que celle qui a dû noyer la femme de Barbe-Bleue, sa petite clé dorée à la main, devant le placard défendu. Une curiosité qui fixe le regard, noue l'estomac, brûle le bout des doigts et se dissimule à grand-peine. Ces godelureaux de gendarmes, qui n'étaient même pas nés quand les cantines furent enterrées, auraient le droit d'inventorier ce trésor d'un passé qui leur est indifférent, et pas moi qui ai connu et ignoré à la fois ces fantômes !

Je n'éprouve ni remords ni regrets de les avoir traités comme des malades, de ne pas les avoir « identifiés ». Au contraire, je leur apportais ainsi l'apaisement de mon évidente ignorance. Mais, après leur mort et avant la mienne, j'aimerais savoir. Savoir pour savoir. Puisque cela n'a plus aucune conséquence.

Savoir qui ils étaient, d'où ils venaient, comment ils s'appelaient « en vrai », comme disent les enfants. Comment se dénommait réellement le vieux M. Thibert, qui marchait en s'appuyant sur une canne et roulait fort les « r » comme un vieux Bourguignon en forme de cep de vigne. Dans une fantasmagorie provoquée par mon propre empoisonnement, ne l'avais-je pas vu mort, entouré de toutes nos précieuses bougies pour soirs d'orages ou de coupures d'électricité? N'avais-je pas vu à son chevet la silhouette dédoublée de Josse priant, un mouchoir sur la tête? Et qui était ce commerçant de Soissons dont avait parlé Reine tout à l'heure, l'acharné qui suivait pas à pas le Ch'tiot Père sondant et creusant, puis, après la mort du pauvre vieux effondré sur sa pioche, avait engagé un gars du village pour continuer ses taupinières du diable?

*

Pour savoir, savoir en quelle langue Mme Charbonnier avait, le jour de la Libération, interpellé le docteur Josse : en polonais? en yiddish? Pour savoir surtout qui étaient les autres, ceux et celles que je n'avais nullement remarqués, – je trouve soudain un argument à l'adresse de cet officier de gendarmerie qui semble se conduire en gardien jaloux du trésor, y compris des bouts de papier sans valeur qu'il renferme.

« Vous rendez-vous compte, mon capitaine (je peux vous appeler ainsi, car, après la planque à Boismesnil, j'ai fait la guerre, moi, dans la Première armée, campagne d'Alsace...), vous rendez-vous compte que moi, moi seule pourrais vous dire, si vous me montriez les papiers d'identité de ces personnes, et quelques photographies s'il y en a, moi seule pourrais vous dire les noms sous lesquels ils étaient cachés à la clinique de la Forte-Haie? Car, après tout, quand ils ont quitté Boismesnil, durant l'été 1944, sans avoir récupéré leurs dépôts, ils n'avaient en poche que les faux papiers que leur avait procurés le Docteur. Si certains ont pu, par la suite, s'en faire établir de nouveaux à leur vrai patronyme, comme je parvins moi-même à le faire sans difficulté, d'autres ont peut-être conservé leur identité d'emprunt, par force ou par choix. S'ils étaient nés dans des endroits impossibles, comme le docteur polonais que nous appelions Josse, comment pouvaient-ils obtenir leur acte de naissance alors que ces territoires étaient passés de l'occupation allemande à l'occupation soviétique ? Et alors que, dans maintes localités, il ne restait plus pierre sur pierre ? Certains, en outre, ont peut-être préféré conserver ce nom français qui leur avait été offert comme une très amicale naturalisation, un accueil du côté sans danger de la nation ? Le Docteur attribuait pour lieux de naissance des villes ou des bourgades où les archives de l'état civil avaient été détruites depuis la campagne de France en 1940.

« Qui sait, continuais-je, si, après de noires années de traque, quand, sortant " à l'air libre ", on ne retrouve ni ses parents, ni son conjoint, ni sa maison, ni son magasin, on n'a pas envie de changer d'identité, de conserver celle qui vous a préservé ? Quand on a été dix fois à l'hôtel Lutétia sans découvrir jamais, sur les listes des déportés revenus des camps au cours du printemps et de l'été 1945, ce nom si compliqué que les préposés de la Croix-Rouge eux-mêmes ne parvenaient pas à écrire correctement si on le leur épelait ; quand on apprend les tribulations des Juifs qui ont définitivement fui la Pologne, l'Allemagne ou la Hongrie et qu'on continue à « déplacer » de camp en camp, et de ceux qui ont cherché à gagner Israël et dont personne ne voulait – oui, on peut avoir grande envie de continuer à s'appeler Leblanc ou Duchemin ! En ai-je vu, moi, des résistants qui refusaient de reprendre leur ancienne identité d'" avant "! La guerre, ça vous change un homme, et la clandestinité encore davantage. Quand vous avez été recherché sous votre nom de famille, qu'on a cuisiné vos parents, vos voisins, votre concierge – votre propre nom est devenu imprononçable, tabou, il vous fait peur à entendre ! De surcroît, nombreux ont été ceux pour qui leur nom de code était comme un nom de baptême, le baptême du risque, du feu, la découverte de soi-même. Ils n'ont pas voulu l'abandonner. Pourriez-vous me dire le vrai nom de Chaban-Delmas ? Je suis sûre que certains clandestins de la clinique de la Forte-Haie ont conservé leur nom d'emprunt. Pour les retrouver, eux ou leurs héritiers, vous avez besoin de moi. Reine Longequeue vous a peut-être déjà désigné, si vous lui avez permis de voir leurs photographies, qui, alors, s'appelait Josse, Charbonnier ou Guilloux. Mais elle n'était qu'une gamine et connaissait beaucoup moins bien les malades que moi, qui étais infirmière. Comme telle, pour mon service, je voyais sans cesse par écrit leurs faux noms sur leurs dossiers, sur les ordonnances. Moi seule peux vous aider à condition que vous me laissiez voir leurs photographies...

– Puis-je vous demander, docteur, pourquoi vous n'avez pas vous-même conservé votre nom de clandestinité, qui, je pense, était plus français que le vôtre – car le vôtre ne doit pas être facile à porter, ou ne l'a pas été tous les jours !

– D'abord, ce n'était pas mon nom de guerre, mais un nom de planque provisoire, et je ne l'aimais pas. Ils m'avaient appelée " Soulez ", et même en prononçant le

" z " pour éviter une consonance fâcheuse, ce nom ne me convenait pas. J'aimais beaucoup trop le mien, mon nom de fausse Russe, qui est comme un déguisement authentique dans lequel je me sens bien. Je n'en ai même pas changé quand je me suis mariée, ce qui fut très commode au moment du divorce. Je me suis toujours sentie et voulue plus française que les Durand ou les Dupont, parce que je portais un nom de transfuge d'un pays qui n'existait plus. Maintenant que la Russie et même Saint-Pétersbourg existent à nouveau, peut-être vais-je le faire franciser ? Mon frère, lui, en parle... »

XI

En y mettant les formes, c'est-à-dire des limitations draconiennes, l'officier a consenti. On ne m'ouvrira plus d'écrins, on ne me confiera plus des dizaines de photos de famille ; on m'a installée devant une table, on m'a donné un crayon et une gomme pour le cas où je buterais sur l'orthographe d'un nom ou sur son attribution. Dans la pièce voisine, le jeune gendarme sentimental achève de tirer photocopie de l'inventaire complet des cantines. Il a été établi, me dit-on, par ordre alphabétique des noms des possesseurs de lots. Pour les femmes, le nom de jeune fille, suivi de « épouse X... », puisqu'elles pouvaient être recherchées comme juives, même si elles avaient épousé un non-Juif. « C'était le cas de la directrice de la clinique, comme vous deviez le savoir », ajoute le capitaine. Non, je ne le savais pas du tout. Je l'ai appris de Reine, voici à peine une heure !

« Après le nom et les renseignements d'état civil, suit un inventaire précis de tous les papiers, valeurs, monnaies, objets, etc., du lot. Mais vous n'aurez besoin que du haut de la fiche : auprès du nom, vous inscrirez le faux nom, au crayon.

– Si vous me montrez la photographie ou les photographies du " possesseur de lot ", comme vous dites, et si vous me laissez regarder certains renseignements qui peuvent me guider...

– Lesquels ?

– L'âge... Je veux dire : l'âge en 1943-44, au moment où je les ai connus. Le pays d'origine, à cause des accents. La profession. La ville du domicile... »

Je songe toujours au « commerçant de Soissons » qui n'avait pas quitté la clinique, après la Libération, pour continuer à faire creuser, et revint encore quand la maison fut transformée en orphelinat ; au docteur Josse, que je sens que je vais moi-même rechercher dès lors que je saurai son patronyme et son prénom. Après tout, il était bien bâti pour vivre jusqu'à quatre-vingt-cinq ans, et les annuaires de neuropsychiatres, ça existe, aux États-Unis comme en Israël.

Le crayon d'une main, la gomme de l'autre, j'attends qu'on m'apporte le « bordereau ». On a été moins méfiant avec Reine, quand le « trésor » a été découvert à Boismesnil, puisqu'elle a vu « des richesses », comme elle dit, et un paquet pour moi – mais sans doute s'est-elle trompée. Je n'aurai, quant à moi, ni le droit de vérifier si les pièces d'or étaient bien dans un sachet de velours, ni de savoir à quoi ressemblaient les enfants de Mme Charbonnier dont j'avais fait disparaître les mensurations épinglées au mur de sa chambre – des enfants qui devaient aujourd'hui avoir dépassé les soixante ans. Non, au lieu d'aller de révélation en révélation, sur la lancée de cette singulière journée, je vais être soumise à un pénible effort de remémoration. Tout ce qu'on me permet de fouiller, c'est ma mémoire lacunaire de vieille. Autant avancer dans un marais strié de bandes de brumes : tantôt tout est d'une miroitante netteté, l'on sait d'où vient le soleil et vers où se diriger ; tantôt l'on s'enfonce dans un blanc sans repères, et le passé semble inhabité. Seule ma mémoire médicale reste excellente : après tant d'années passées à traquer cancers et ulcères dans des viscères cachés, je puis fort bien me rappeler les colons et estomacs passés dans mon service, les visages des patients correspondants, ou même leurs voix, plus rarement leurs noms. Certes, j'avais côtoyé les pensionnaires de la Forte-Haie beaucoup plus longtemps que mes malades de l'hôpital, mais sans ces repères diagnostiques que sont les radios, les explorations, les analyses qui personnalisent l'affection, sans les vérifications dans le champ opératoire, sans le choix du protocole, ces irremplaçables éléments d'identification – n'étais-je pas imbattable de précision dans le suivi et au moment des rechutes ?

A la Forte-Haie, les entretiens, les narco-analyses, les psychothérapies m'échappaient. L'élaboration du diagnostic comme la détermination du traitement de chaque malade demeuraient l'affaire des médecins. Moi, du matin au soir, cornaquée par Mlle Puech, je devais veiller avec une attention de tous les instants à ce que chacun et tous accomplissent sans violence, sans cris et sans drames les actes de la vie quotidienne : se lever, se laver, se vêtir, se saluer, se parler, se nourrir, se reposer, se promener, se distraire, se coucher, s'endormir. J'exerçais la vigilance constante et collective de la bergère qui paît son troupeau. J'avais rarement le loisir d'un tête-à-tête prolongé avec un malade, sauf lorsque je veillais un inconscient plongé dans un coma artificiel ou s'éveillant

213

d'un choc, aux trois quarts amnésique, répétant des
gestes de somnambule entêté et des marmottements
confus. Le reste du temps, je n'entrais pas dans les
délires et coupais court aux confessions comme aux
plaintes : « C'est au Docteur qu'il faut le dire, madame,
ça l'intéressera ! » Une bonne partie des pensionnaires
ne se faisaient guère remarquer, suivant docilement une
discipline au demeurant légère, et j'ignorais ce dont ils
souffraient. Ceux-là, à l'époque, je savais les interpeller
par leur nom pour leur offrir mon bras, les prévenir que
la deuxième cloche avait sonné et qu'on était à table,
leur demander de rentrer au salon les échecs et le Dia-
mino, car la pluie menaçait. Mais les retrouverai-je
aujourd'hui, les noms de ces discrets dont il y avait tout
lieu de penser que faisaient partie les Juifs qui se
cachaient ? Ce troupeau tranquille m'avait bien moins
frappée que les quelques malades « lourds » que je ne
quittais pas des yeux. C'est en étudiante que j'observais
les prodromes des crises épileptiques du grand Roger
Wallet, la catalepsie réussie de Mme Kruger, les absences
d'Angélique Costa. J'avais moins de chances de me res-
souvenir des noms de celles et ceux qui ne se sauvaient
jamais, ne parlaient pas de se tuer, ne subtilisaient pas
d'objets au passage et ne criaient jamais à en perdre le
souffle.

*

Cette vague et sourde inquiétude de ne pas savoir
réveiller ma mémoire ressemble à la stupeur dans
laquelle j'ai toujours été, les jours d'examen, juste avant
que ne soient distribués les sujets. Lorsqu'arrivait le

feuillet fatidique, d'un coup, tout s'éclairait en moi, et les mots se présentaient à la demande, bien rangés dans les tiroirs de ma mémoire, là où ils devaient être. Cependant, je ne m'attendais nullement au choc – le cœur qui « saute dans la gorge », comme disent les malades – que j'éprouve lorsque le gendarme m'apporte l'inventaire photocopié du contenu des cantines. Sur la première page, une liste de noms tient lieu de table des matières. Elle s'ouvre par Abramovici Tamara pour se terminer par Zygulska Bianka en passant par une suite de redoutables patronymes inconnus qui sonnent comme un chant funèbre : Bloch, Blumberg, Donoff, Faynzylberg, Jossilievicz, Kahn, Novitch, Sachs, Wajntrob, Wellers... En tout, treize noms, dont le mien, entre Sachs Lydie et Wajntrob Jankiel – le mien qui ne dépare pas la liste, puisque Stoliaroff rime avec Donoff et Olga avec Bianka.

Voici un instant, je me vantais d'aimer si fort mon nom que je n'en avais pas voulu changer, j'en réveillais la chère sonorité, qui me plaisait depuis l'enfance comme si elle me promettait un destin singulier et du dernier romanesque. Je trouvais mon nom hautain, incisif et gai. Mon père avait souvent douché ma griserie en me rappelant que Stoliaroff n'était nullement un grand nom russe, mais un honnête patronyme sorti du rang lors de la guerre contre Napoléon et ayant depuis lors usé ses fonds de culotte dans les bons collèges et les écoles d'ingénieurs. Il n'empêche qu'en cour de récréation, les Janine Leblanc et autres Marguerite Petit, avec qui je sautais à la corde, soupiraient que j'avais bien de la chance d'arborer un nom pareil. Un nom qui tinte comme une cloche de matines... Et je le vois là,

215

enchâssé dans une énumération qui pleure comme un lamento! Je sais bien qu'aucun porteur de ces noms à résonance funeste n'a péri dans les plaines enneigées de Silésie ou de Mazurie, puisque tous ont survécu au Docteur et à sa femme, sauf le vieux mort d'avoir mangé des rillettes mal stérilisées. Je sais cela. Mais une telle accumulation de noms tragiques, comme ceux qu'on voit gravés à la porte des synagogues, stupéfie ma mémoire. Ai-je vécu un an parmi eux sans m'apercevoir qu'ils se connaissaient ou se reconnaissaient les uns les autres? Treize noms, comme le Vendredi Saint, mais sans traître. Treize noms, dont le mien, dont ceux du docteur Edwige et du docteur Josse : restaient donc dix prétendus malades dans un établissement qui en recevait vingt-cinq! Je n'avais pas saisi la moindre connivence entre eux, non plus que la plus mince ressemblance. Lydie Goldenberg et Rolande Lévy ne s'enfermaient-elles pas chaque soir dans leurs chambres jumelles, chacune avec son insomnie, sans s'être découvert la moindre affinité de destin? Peut-être chacun et chacune, séparément, ne se reconnaissait-il pas soi-même, libéré dans l'anonymat, réduit au dialogue avec son Dieu unique, comme l'ermite au désert? Peut-être leur seule vraie connivence, ou même leur communion s'établissait-elle avec leurs absents, les père, mère, époux, épouse, frères, sœurs, enfants pour lesquels chacun tremblait et priait? Ils étaient là dans une quiétude presque parfaite, comme autant de solitudes juxtaposées, chacun préoccupé des siens, et non comme une communauté. Certes, j'avais vu Josse en prière près du mort, ou gagner le fond du parc pour bavarder avec la petite Mme Charbonnier; je l'avais vu ficeler

216

M. Roques en camisole sur un lit de fer avant de s'enfermer lui-même dans le cabanon lors de la venue des Allemands, – mais c'étaient là des relations de responsabilité qui émanaient toutes de lui, médecin, en étoile vers les autres ; ce n'était pas le tissu d'une communauté au sein de laquelle chacun est raccordé à tous les autres.

Cette liste éclate aussi d'un comique involontaire : mon cher Papa, avec ses préjugés hérités, m'aurait-il confiée avec des transports de reconnaissance à ce psychiatre au beau nom cévenol s'il avait vu, comme je la vois là, la nomenclature de la moitié des pensionnaires de cet établissement protestant ? Ignorance et inconscience furent récompensées, et la Forte-Haie, un havre pour la rebelle écorchée que j'étais et qui, partout ailleurs, se serait fait prendre. Quand je pense que je demandais à ces dames – juives – de bien vouloir, pour me faire plaisir, pousser des cris affreux ou gémir dans leurs chambres quand arrivaient les Allemands, sous prétexte que « les Boches ont peur des maladies » (je n'osais dire « mentales », pour ne pas les froisser) ! Elles n'étaient pas à cela près, elles qui vivaient sous des identités totalement usurpées, et elles hurlaient à merveille derrière leurs portes closes. C'était cependant une Aryenne non recherchée, étrangère s'il en fut au conflit, une pauvre schizophrène nue, cachectique, puante en dépit du soin que je prenais à la doucher, et automutilée en dépit du soin que je prenais de lui limer les ongles, c'est elle qui nous avait alors sauvés, tous et toutes, en apparaissant dans le grand escalier, semblable – ce que nous ne savions pas – au fantôme de Bergen-Belsen.

*

Mais, déjà, les travaux pratiques! On m'apporte la carte de Tamara Abramovici, une honnête carte d'identité française sans le moindre signe distinctif infamant, établie à Versailles en 1939 au nom de la République française. Tamara n'avait donc pas été recensée comme juive et n'était pas allée se déclarer comme telle aux autorités d'occupation. Pour une raison simple : née Abramovici à Braïla, Roumanie, en 1903, elle était devenue « épouse Collet », sans profession, rue du Jeu-de-Paume à Versailles, Seine-et-Oise. Nul besoin de fouiller mes souvenirs : nous l'appelions Mme Collet, tout bonnement. Sa photographie d'identité ne rend pas justice à cette personne exubérante et logorrhéique qui incarnait le type dit de la « Parisienne piquante », la femme à hommes dont le rire laisse entendre qu'elle sait jouir, qui ne s'asseoit pas comme tout le monde mais offre sa croupe au siège sur lequel elle se pose. Elle s'usait sans succès auprès de notre cher Docteur dont le regard se terrait alors au fond de ses orbites taillées comme des cavernes. Elle avait plusieurs chevaliers servants et parvenait encore à faire rougir le docteur Josse en lui parlant à table de ses douleurs menstruelles, la main étalée, on ne sait pourquoi, sur son sein, et son petit nez froncé d'horreur. Le mari, qui venait souvent surveiller la cure de sa femme, était plus paroissien versaillais que nature, aussi taciturne qu'elle était jacasse. Les paris étaient ouverts pour imaginer comment ces deux-là s'étaient rencontrés. Je pensais que Collet payait pour que l'on parvînt à freiner sa logorrhée (et profiter en son absence d'un répit bienfaisant). Mais ce moulin à paroles ne laissait jamais rien échapper qui pût laisser soupçonner sa judéité. *A posteriori*, je salue la performance ! A l'époque, après chaque départ du mari, je disais : « Voilà notre Mme dé-Collet-ée ! », et je riais de ma mauvaise astuce avec l'aigreur d'une jeune fille amoureuse qui hait les femmes échauffées et allumeuses. Passez muscade ! Un paquet de « papiers en langue étrangère », disait l'inventaire, et de « photographies de famille ».

Le problème que me pose ensuite le visage, plissé en long par l'amaigrissement tardif, de Blumberg Roger, carte d'identité française barrée JUIF, est autrement difficile. Je le reconnais si bien que j'entends sa voix légèrement nasillarde, haut perchée et tout à fait distinguée – comme celle de Léon Bum – qui se plaisait aux amples extraits de poètes démodés comme Lamartine ou Hugo. Il ne descendait pas à la cloche du déjeuner et je le trouvais sur son lit, tête renversée, yeux grands ouverts. Pleine d'appréhension, j'appelais : « Monsieur...... » Non, je ne me rappelle plus ! Je m'inquiétais du rasoir dans son cabinet de toilette. Le coiffeur qui venait deux fois par semaine à vélo de Pierrefonds avec son attirail pourrait-il lui faire la barbe ? Le Docteur m'avait remise à ma place d'une réplique étonnante chez un psychiatre : « Monsieur...... a une réelle force d'âme, laissez-le se raser lui-même ! » L'homme à la force d'âme avait demandé à la femme de chambre de lui coudre des brassards de deuil sur tous ses vêtements. Je lis : *né à Strasbourg en 1888, domicilié à Paris, rue Monsieur-le-Prince.* Il assistait aux cultes qu'assuraient tour à tour le Docteur et Mlle Puech quand le pasteur ne pouvait

219

venir. « Monsieur...... nous lira un psaume de David. »
« *Je lève les yeux vers les montagnes. D'où me viendra le
secours ? Le secours vient de l'Éternel...* » Monsieur... Non,
je ne trouve pas, et pourtant j'entends sa voix. Je
consulte l'inventaire : « Professeur révoqué parce que
juif. Papiers d'affaires : (parts dans l'entreprise Blumberg & Weill, mobilier pour collectivités) actions,
livrets de Caisse d'Épargne aux noms de Blumberg
Roger et de Blumberg née Stern Yvonne. Bijoux :
broche en brillants, gourmette or, deux chaînes de
montre en or, quatre bagues, etc., etc. », et cette mention : « Édition originale (?) des *Essais* de Montaigne –
à faire évaluer. » Comme une bouffée de vent, la voix
du Docteur s'élève : « Monsieur Montigny nous lira un
psaume de David... » M. Montigny ! C'est M. Montigny ! Je le crie presque.

« Écrivez-le au crayon à côté de son nom : " *alias*
Montigny pendant la guerre. " »

Je remercie Montaigne de m'avoir permis de retrouver Montigny. Je suis heureuse et fière comme si j'avais
ressuscité un mort ! Mais le pauvre vieux, Blumberg ou
Montigny, est depuis des années décomposé dans sa
tombe. Ce triste veuf avait-il des enfants ? Où ira le
Montaigne si on ne lui trouve pas d'héritiers ?

*

Avant que j'aie le temps de tourner la page de
l'inventaire, on m'apporte une photographie d'art :

C'est Francine Daunou, l'anorexique ! Une qui doit
toujours être en vie ; elle n'avait que trois ans de plus
que moi, et déjà agrégée ! Enfin, elle doit toujours être

vivante si elle ne s'est pas laissée mourir de faim, ou jetée sous un train, ou défenestrée ! C'était une grande malade, une vraie. Elle ne se cachait pas, c'est le Docteur qui avait ordonné son isolement. Même ses parents, surtout ses parents n'avaient pas le droit de la voir ! Pourtant, ils revenaient tout le temps, en taxi, chargés de victuailles de marché noir qui sentaient la Normandie fromagère, alors qu'eux, les parents, avec leurs pelisses fourrées et leurs lunettes d'écaille, on aurait dit des caricatures de riches sorties des albums de *Bécassine*. Le père avait une tête de banquier ; la mère, une tête de femme de banquier. J'appelais le Docteur à la rescousse. Il était intransigeant : elle ne devait voir personne, que le personnel de la maison. Elle ne cherchait pas à se sauver, du reste.

Le Docteur répétait : « Elle ne doit pas descendre aux repas. Je ne veux pas la voir chipoter (il disait *picouècher*) dans son assiette au nez de ces gens qui ont tous un peu faim ou, à tout le moins, sont hantés par la nourriture. En temps de disette, la comédie de l'anorexique frise le scandale. Je la veux bouclée, pas à clé, mais par vos injonctions répétées. Qu'elle travaille sa thèse. Bourrez son placard de choses à manger. Portez-lui un plateau, et revenez le chercher au bout d'une demi-heure, sans faire le moindre commentaire si vous le trouvez intact. »

Il m'est arrivé, plus souvent qu'à mon tour, avant d'enlever son plateau, et sans mot dire, de dévorer devant elle, debout comme j'étais, le contenu refroidi de son assiette. Méprisante, elle allumait une cigarette. Elle savait que je n'oserais point avouer mon larcin et se contentait de me jeter : « Essuyez-vous la bouche, c'est dégoûtant ! » Ou bien il était question d'une robe verte qu'elle avait l'intention de me donner, puisque je la trouvais si jolie, mais dans laquelle, c'est sûr, je n'entrerais pas.

Je me vengeais en l'accusant de forfaiture pour avoir, en temps de guerre dans son pays occupé par l'ennemi, choisi de faire sa thèse sur je ne sais plus quel philosophe allemand, et de ne s'entourer que de livres en allemand.

« Ils ne vous ont pas arrêtée, alors c'est vous qui vous enfermez avec eux !

– Et pourquoi m'auraient-ils arrêtée ? »

Elle disait cela comme on pose une colle à une élève, au tableau, ses yeux cernés mi-clos derrière ses lunettes, un sourire aux lèvres.

« Figurez-vous que, dans ce pays, on arrête les honnêtes gens tous les jours ! Des vieux, des adultes, des jeunes, les meilleurs d'entre les jeunes ! Les étudiants, par exemple ! Tout le monde ne peut pas faire sa thèse, de nos jours ! C'est un privilège d'en avoir la possibilité. Alors, la faire en allemand ! »

La photographie que j'ai aujourd'hui sous les yeux adoucit le modelé de son visage un peu chevalin et éclaire son teint gris de sous-alimentée. Mais c'est bien le regard perspicace de qui vous jauge et n'attend rien de vous :

« Je vous ferai remarquer, chère Odile, que si je lis en allemand, j'écris en français à l'intention de l'Université française. Et j'ajouterai que l'allemand est en quelque sorte ma langue maternelle, puisque c'était la langue de ma mère.

– Votre mère est allemande ?

— Je n'ai jamais dit cela. Kafka a écrit en allemand, mais il n'était pas allemand, que je sache ! L'allemand est aussi une fort belle langue, et la seule convenant vraiment à la philosophie. »

Je m'étais ouverte à Josse de cette bouleversante découverte : la mère de Francine Daunou est allemande ! Il m'avait tout fait raconter. « Vous feriez mieux, jeune fille, de ne pas lancer ce genre d'accusation sans savoir, surtout à une malade aussi fragile. Sa mère est peut-être alsacienne, non ? Comme Sainte-Odile, quoi ! Francine est, comment vous dirais-je, une victime de la guerre, justement, une victime des nazis. Vous lui avez fait mal... Plus un mot là-dessus ! » Il avait seulement bien voulu ajouter qu'elle avait déjà eu, adolescente, une période très difficile, avec anorexie. Puis tout était rentré dans l'ordre, elle s'était étoffée, épanouie, elle avait fait des études brillantes, elle s'était fiancée, et puis... A la veille du mariage, à l'automne 1940, le fiancé avait rendu sa parole. Il était parti « dans des circonstances qui ont rendu les choses encore plus pénibles. »

« C'est triste, mais ça n'en fait pas une victime de guerre !

— Et moi je vous dis que si ! »

Francine était la petite chérie du docteur Josse, aussi doux avec elle que le Docteur était raide. Il n'y avait pas de jour qu'il n'allât bavarder dans la chambre de la recluse. C'est à son bras qu'elle faisait des tours de parc quand le temps était clément, et tous les rideaux se soulevaient aux fenêtres, car on ne connaissait pas cette brune qui ne descendait ni à table ni au salon. Voici maintenant sa carte d'identité, une carte

d'avant l'Occupation. DONOFF, *Véra, Rébecca, France.*
Née à Marseille le 19 février 1919. Sur la petite photographie d'identité, un intense regard noir et un demi-
sourire : l'étudiante radieuse avait retiré ses lunettes.
Elle était presque jolie. *Véra, Rébecca, France.* On
n'avait pas souligné le prénom usuel : était-ce Véra ou
France ? 1919 : la Grande Guerre était à peine terminée ; les Donoff, sans doute, avaient juste débarqué à
Marseille. Dieu sait d'où ils venaient et après quel péri-
ple... Une petite fille leur est née, que le *jus soli* de ce
pays hospitalier déclare française. Geste reconnaissant
ou geste propitiatoire ? Ils vont l'appeler France. En
Europe orientale, le dernier prénom est le prénom courant. Sa maman parlait l'allemand et son papa le russe
ou l'ukrainien ou le slovaque, que sais-je ? Entre eux, ses
parents devaient parler yiddish. En tout cas, Véra – ou
France – a dû, vers cinq ou six ans, comme moi,
apprendre qu'il n'est pas facile d'écrire bien droits, à la
fin de son nom de famille, ces deux « f » pleins de
boucles. A l'école, je pense qu'on l'appelait France
Donoff. Si j'avais su, à la Forte-Haie, que Francine
Daunou s'appelait Donoff, je n'aurais pu tenir ma
langue et me serais révélée Stoliaroff.

Je regarde dans l'inventaire ce que cette fausse
« Rouskof » avait confié en dépôt au Docteur en sus de
sa carte d'identité, de sa carte d'alimentation et de ses
titres universitaires. La liste est éloquente et m'apprend,
ce dont je me doutais, que notre jeune philosophe
efflanquée était riche. Sa garde-robe, ses brosses en
ivoire, son poste de radio, le couvre-pied en petit-gris
bordé de velours ton sur ton dont elle réchauffait sa fri-
losité de maigre, – tout m'avait poussée à soupçonner

Mlle Daunou de n'être pas une étudiante pauvre. Mais je n'aurais pas imaginé que les pièces d'or dans le sachet de velours noir – quarante louis –, c'était Francine ! Était-ce également elle qui avait la première accusé le jardinier ? En plus de ces louis, il y avait un lingot et des actions de la Royal Dutch, et ci, et ça, une liste impressionnante ! La triste histoire que suggérait Josse s'éclaire. C'est celle d'une jeune fille riche qui se fiance pendant la drôle de guerre. Elle doit se marier à la rentrée, mais la loi du 3 octobre 1940 qui « porte statut » définit la qualité de Juif. Tout Juif doit se déclarer. Les entreprises privées dont les dirigeants sont absents, ou juifs, sont confiées à des administrateurs désignés, ou purement et simplement confisquées. Banquier ou industriel, le père de la fiancée est spolié, et le fiancé disparaît sans laisser de traces. Par ces temps troublés, on disparaissait si facilement. Il ne reste plus aux Donoff qu'à aller se terrer dans quelque campagne reculée avec leur fille qui s'acharne à préparer l'agrégation. Mais l'Université, l'*Alma mater*, la mère nourricière la trahit également, puisqu'il lui est interdit d'enseigner. Alors elle refuse de s'alimenter, d'avoir des seins et des hanches, elle refuse d'être une femme, elle refuse de vivre.

« On l'appelait Francine Daunou. Elle a peut-être publié ultérieurement une thèse de philosophie sous son nom de Donoff. Cherchez à la Bibliothèque nationale... »

Ou bien elle a peut-être épousé Josse... Ils auraient vécu dans l'Indiana ou le Maryland, il aurait soigné d'autres anorexiques, elle aurait enseigné à l'Université, elle aurait pris goût aux *ice-creams* et serait devenue grosse... Je garde ma version pour moi.

*

« Je ne sais pas... Je ne me rappelle pas cet homme... »
Il s'agit d'un passeport en allemand, un passeport
Jude d'octobre 1940, d'un expulsé sans doute, du nom
de Faynzylberg Josef, né à Pforzheim, Bade-Wurtem-
berg, en 1890. Le même passeport porte d'autres noms :
Faynzylberg Sarah, Faynzylberg Albrecht, Faynzylberg
Ludwig... – six en tout. Inutile de regarder plus longuement, les yeux dans les yeux, cette petite photographie.
Ce ne sont pas les détails que j'y découvrirais, à l'œil nu
ou à la loupe, qui m'avanceraient. On reconnaît ou on
ne reconnaît pas. Plus exactement, le cerveau droit
reconnaît ou ne reconnaît pas, instantanément. Mettre
un nom sur un visage connu, c'est une tout autre affaire
qui se résout d'emblée ou peut vous torturer pendant
des jours et des jours. Avec toujours une chance d'aboutir. Mais je ne reconnais pas ce Josef Faynzylberg. Outre
son passeport et divers papiers en allemand, l'inventaire
m'apprend qu'il a confié au Docteur un nombre impor-
tant d'objets qui remplissent quatre sacs, numérotés de
1 à 4. Je lis : deux pèlerines de laine blanche avec raies
noires ; des gobelets incrustés de pierres fines ; quatre
petites boîtes de cuir avec inscriptions ; trois livres de
prières en hébreu ; un chandelier à sept branches ; deux
albums de photographies ; et un album de « timbres de
collection ».
Je tends le cou vers les cantines. N'y a-t-il aucune
chance que je puisse voir ce viatique religieux ? Les
châles de prière sont-ils moisis ? Ou ont-ils traversé ces
cinquante années dans le noir profond de la terre sans

subir d'injures, ni mites ni rouille? Serait-ce une manière de miracle, une fidélité des choses à l'image de la fidélité de l'homme qui les a maniées avec tant de respect? Le Suaire de Turin, même s'il ne semble pas remonter au premier siècle, a quand même été daté du Moyen Age. Il est vrai qu'il était en lin, et non en laine. Les boîtes de cuir sont-elles des phylactères? Était-il licite de les enterrer? D'où viennent les timbres, qui doivent avoir pris de la valeur? Autant que j'ai pu comprendre, cet homme était négociant et correspondait avec de nombreux pays. Il collectionnait les timbres, qu'on peut revendre n'importe où...

XII

Il me prend l'envie soudaine de tourner les pages de l'inventaire et d'aller voir ce que le Docteur a bien pu mettre à l'abri concernant ma petite personne non juive, qui ne collectionnait ni les napoléons ni les timbres ni les objets de culte. Voici la page « Stoliaroff, Olga, Madeleine ». Elle ne comporte que quelques lignes. A la rubrique *Papiers* : carte d'identité française – carte d'étudiante – laissez-passer nominal pour le restaurant étudiant « Foyer International ». A la rubrique *Objets divers* : petite « serviette en tapisserie » ; leçons de médecine ronéotypées au nom de O.S. ; copies de notes au nom de O.S. ; plusieurs tracts antinazis ; une photographie ; deux lettres non signées.

« Une photographie. Deux lettres non signées. » J'ouvre la bouche. J'aspire un grand coup. Je plaque ma main devant ma bouche ouverte, le cœur battant la chamade, comme si je me rappelais soudain avoir laissé le four allumé depuis ce matin, comme si j'étais subitement sûre d'avoir oublié une compresse dans une anse avant de recoudre, comme si j'étais prise en flagrant délit de je ne sais quoi. Le regard des gendarmes est

229

gênant. L'officier, qui pose devant moi un nouveau passeport, interroge :

« Vous avez oublié quelque chose, docteur ? Votre voiture en zone bleue ?

– Non, non, ce n'est rien. Mais pourrais-je avoir d'abord mon paquet ?

– Je vous l'avais moi-même proposé... Mais finissons-en avec celui-ci ! »

Je prends des mains du capitaine le passeport qu'il me tend, je le regarde sans le voir, le pose sur la table. Je retourne à l'inventaire, à la page Stoliaroff, Olga : « ... une petite serviette en tapisserie... des leçons... des tracts... une photographie, deux lettres non signées... » Tout à la fois je ne comprends rien à ce que je lis et je comprends que je touche au but. Voilà pourquoi je suis venue. J'en suis sûre, j'en suis sûre parce que j'ai mal. Sur l'instant, quand j'ai lu ces quelques mots une première fois, j'en ai eu le souffle coupé. Je les relis à nouveau, sans comprendre davantage, et j'ai mal à nouveau, comme la première fois. Mal dans la poitrine, dans le ventre, je ne sais, mais profond, là où – je l'ignorais – je suis restée vulnérable. Vulnérable, de *vulnus*, en latin : la blessure. Le point sensible. On palpe un ventre et, tout à coup, on va plus doucement, tout doucement, parce qu'on sait, on *sait* que le malade va pousser un cri ou réprimer un gémissement : « C'est là ! Attention ! C'est juste là ! Vous y êtes ! »

J'y suis. Un élancement aigu que je reconnais avec stupeur. Ainsi, ce n'était pas mort, ce n'était pas résorbé, mais seulement enkysté. Sans même savoir pourquoi, je sens comme lorsque j'avais vingt ans, ma gorge est gonflée, j'avale difficilement ma salive. L'émotion douloureuse est d'une extrême précision. Elle me rend Paul tel que je l'aimais. Mais je ne sais pourquoi. Dans ma tête, tout est flou. Les Allemands avaient pris ses lettres, ses rares lettres – seulement quatre vraies lettres qu'il m'avait écrites durant les vacances d'été 42 qui nous avaient séparés – et ses photos, et ses « petits mots », quelques lignes « non signées » qu'il me passait parfois en cours. Tout était perdu. Les Allemands avaient tout pris dans ma chambre. Pour la raison que Maman avait tout laissé en place au lieu de le fourrer dans la valise qu'elle m'avait préparée après l'alerte donnée au téléphone par la mère de Paul. A peine eut-elle raccroché, m'a raconté Papa en me conduisant à Bois-mesnil, que Maman appelait son amie Laure dont le frère psychiatre acceptait parfois de recevoir, dans sa clinique en pleine forêt, des personnes qu'en ces temps d'apprentissage de la clandestinité les parents appe-laient, en baissant la voix, des « malades ». Laure était venue à la maison dans le quart d'heure qui avait suivi. Elle avait exhorté Maman à faire ma valise *illico*, et Papa à aller me chercher rue de l'École-de-Médecine, à la sor-tie de mon examen, pour m'acheminer sans souffler chez son frère. Était-ce parce que Laure tournicotait autour d'elle, l'aidant à plier mes corsages tout en apprenant à Papa comment on allait à la Forte-Haie si on ne trouvait pas de car en gare de Compiègne, que Maman avait mis une Bible sur le dessus de la valise, mais pas les lettres ni les photos de Paul ? Ou bien était-ce par scrupule de mère libérale qui ne fouine pas dans les affaires de sa grande fille ? Ou bien encore cette abstention était-elle un acte manqué en réponse à ce qu'elle venait d'apprendre : « Un gros paquet de lettres d'Olga a été pris par la Gestapo dans le bureau de mon fils Paul », lui avait dit une dame inconnue ; « mon nom importe peu... votre fille Olga, oui... études de médecine, tous deux... Paul... Paul a été emmené ce matin... ils ont pris un gros paquet de lettres d'Olga... à l'encre verte. Ils m'ont demandé si je connaissais Olga. J'ai dit non, mais mon fils gardait même les enveloppes. Peut-être y avait-il des adresses au dos... Éloignez vite Olga ! Vite ! Ils ont emmené aussi mon mari ! » Toujours est-il que Maman avait enfourné dans la valise de mon exil les pyjamas sous lesquels étaient dissimulées les lettres et les photos de Paul, mais elle avait laissé en place le précieux petit tas qui devait tant me manquer.

*

Juste après la Libération, lorsque je suis revenue dans ma chambre, plus d'un an après l'avoir quittée, je n'ai retrouvé qu'une photographie d'identité de Paul à dix-sept ans, coincée dans le tiroir de ma commode. Elle était rayée par une mauvaise pliure. C'était ma seule relique. Tout au long de la campagne d'Alsace, je l'ai portée sur moi, sous mon uniforme, entre ma peau et mon soutien-gorge. Je l'ai égarée à Colmar – où j'ai tout perdu. Ou plutôt, je ne l'avais plus au lendemain de cette nuit dont je ne savais plus rien, dont je ne me rappelais que le prélude patriotique et l'inavouable épilogue.

Nous, de la Première Armée, nous avions enfin fait jonction, prenant en tenailles les Allemands hargneux qui avaient bien dû reconnaître qu'ils étaient nos prisonniers. Puis les Américains, ceux-là mêmes qui, avec élégance, avaient laissé aux Français le privilège de prendre Colmar, la ville de l'Oncle Hansi, nous avaient joints à leur tour pour préparer l'assaut qui nous mènerait outre-Rhin. Tandis que les renforts et le matériel américains ne cessaient d'arriver en grondant sur des routes qui ressemblaient davantage à des pistes sibériennes en plein hiver, nous avions assisté à une brève cérémonie. C'était un jour de février 1945 si glacial qu'il n'était pas question de s'éterniser au garde-à-vous. Nos généraux s'étaient sobrement serré la main. Nous pleurions des larmes de givre. Les drapeaux eux-mêmes semblaient roides de froid.

Le lendemain ou le surlendemain, nous fûmes invités à fêter ça chez nos frères d'armes américains. C'étaient eux qui invitaient, royalement, dans un hôtel de Colmar miraculeusement chauffé – en tout cas la salle des libations décorée bleu-blanc-rouge dans laquelle nous pénétrâmes, suffoquées, les deux infirmières de mon unité et moi. Nous nous étions mutuellement brossé les cheveux à qui mieux mieux, et avions nettoyé nos uniformes tachés de boue jusqu'à être dignes d'entrer au musée de l'Armée comme mannequins. La dignité – notre dignité de Françaises, notre dignité de militaires, notre dignité de femmes – était en jeu. Sitôt entrées, sitôt happées dans un magma d'uniformes kaki, et poussées avec des *Hurrah!* vers les buffets où le champagne descendait en cascades de coupes disposées en pyramide, où l'on vidait du cognac dans du vin d'Alsace, quand ce n'était pas dans de la bière... On ne s'entendait plus en aucune langue, même braillée, on n'entendait pas davantage la musique poussée à fond au son de laquelle je crois pourtant me rappeler avoir

233

dansé, quasiment sur place, les cavaliers se succédant pour m'attraper à pleins bras – toujours la même chaleur sous les uniformes râpeux, puis, après un déshabillage généralisé, sous le beau coton beige des élégantes chemises de l'armée américaine qui nous faisaient pâmer. Les conversations se bornaient à diverses onomatopées. Nous étions à peine six ou sept jeunes filles pour près de deux cents combattants entre deux assauts, au cœur d'un hiver de cauchemar qui ne semblait devoir jamais finir. Dans une étuve très alcoolisée, ceux qui étaient serrés là faisaient un vacarme de sorciers chassant l'hiver et démontraient à quel degré peut monter la chaleur animale.

*

Au petit matin, elle n'est pas chauffée, la chambre où je me réveille dans le noir, à cause du froid glaçant la partie de mon corps nu qui émerge de l'inextricable chamboulement d'un lit plein de membres chauds et lourds qui me coincent sous leur poids de muscles. Je ne me souviens de rien de ce qui précède. Je ne me suis jamais souvenue de rien d'autre que de ce réveil dans l'obscurité, mon flanc droit réfrigéré, un dos tiède contre ma joue, une jambe inconnue pesant sur ma cuisse. J'ai tout de suite reconnu ce mélange de ronflements et de respirations que fait une chambrée endormie, même si ne perçait aucun des gémissements de blessés que je venais écouter au cours de mes gardes de nuit dans mon unité. Pour ma première gueule de bois, je n'ai pas eu le temps d'avoir mal à la tête : une honte panique m'a glacé l'estomac. J'ai entamé des reptations pour fuir. Je me rappelle le glissement de la sueur quand je décollai mon bras prisonnier sous un torse. Je me rappelle m'être cognée dans des meubles invisibles et pris les pieds dans des vêtements épars. Je me rappelle le tintement d'un ceinturon contre un montant métallique.

A force de tâtonnements, j'ai trouvé une porte que j'ai entrebâillée. Il en est sorti un petit vent encore plus frisquet que l'air de la chambre. Mais, venant d'un couloir faiblement éclairé, un peu de lumière m'a permis de ramasser à la hâte mes propres effets, vite, vite, car les corps, sur le lit, s'étaient pris à bouger sous la fraîcheur accentuée du courant d'air. Du coin le plus sombre de la pièce rampait une odeur de vomi. J'ai enfilé à même la peau mon pantalon de laine rêche et ma vareuse d'uniforme, et, mes frusques d'une main, mes bottes de l'autre, j'ai fui dans le couloir. Je ne savais nullement où j'étais, mais l'universelle plaque « WC » m'a indiqué un refuge où m'enfermer. Là, j'ai allumé.

Aucune dégradation, aucun blâme public ne pouvait susciter une honte comparable à celle que m'infligea cette ampoule électrique. Comme j'allais remettre mes sous-vêtements, j'ai vu, entre mes cuisses, un peu de sang séché. Le mien. Celui de mon hymen. Le sang de ma virginité perdue. Et puis, coulant lentement au-dessus du sang séché, une traînée de sperme encore visqueux, pareil à de la bave d'escargot. J'ai tiré la chaîne pour avoir de l'eau propre et me suis frottée avec un mouchoir mouillé, jusqu'à faire rosir la peau. Sans doute est-ce la vanité de cet effort inutile, qui ne pouvait ni effacer le passé ni me prémunir contre les possibles conséquences à venir, qui m'a brisée ; je me suis mise à sangloter en enfilant une à une toutes les épaisseurs de vêtements censées me garantir du froid. Mais je n'ai pas remis mon soutien-gorge, oublié là-bas dans la chambre dont je ne savais pas même le numéro et où jamais, pour rien au monde, je n'aurais voulu pénétrer à nouveau.

J'ai entendu du bruit en bas et suis descendue, reniflant mes larmes, mon mouchoir souillé à la main. Une femme d'âge mûr, en blouse, un châle croisé sur la poitrine et noué dans le dos, jetait dans de vastes poubelles les verres cassés et les nappes en papier tachées de vin d'une grande salle encore ornée d'une multitude de petits drapeaux américains et français. « Zi fous cherchez manteaux... là ! » Du bout de son balai, elle me désigna un amas mou de capotes militaires dans lequel je cherchai longtemps, comme dans un cauchemar, les petits galons sur velours amarante dont j'étais si fière. Du tas si lourd à remuer est tombé un brassard blanc à croix rouge. Était-ce moi qui arborais cela, la veille au soir ? Et pourquoi ? Je l'ai ramassé et, avant de sortir dans les rues obscures d'une ville encore pavoisée, je l'ai passé à la manche de ma capote comme pour donner un semblant d'alibi vertueux à mon retour, tout honneur perdu.

« D'où sors-tu ? m'a-t-on lancé à Rouffach, mon cantonnement. Tu es malade ? » Mes infirmières, roses et nettes, n'osaient trop me regarder. « On vous a cherchée... » Mais la nouvelle du jour a fait oublier ma sale mine. Le compte était terminé : nous avions capturé 27 000 prisonniers, 70 chars et 50 canons ! Hourrah !

*

Moi, je ne cessais d'imaginer ce qu'il était advenu, après ma fuite, de la dernière photo de Paul en ma possession, petit rectangle de cellulose avec son pli qui traversait la joue encore enfantine, rasait la commissure relevée d'une belle bouche optimiste, puis s'en allait couper l'œil clair et son sourcil d'homme fait, long et résolu. Je l'imaginais dans le tuyau puis dans le ventre d'un aspirateur, perdue parmi les raclures, les démêlures, les agglomérats de poussière, précipitée ensuite de poubelles en bennes jusqu'à une décharge pourrissante où, flocon après flocon, la neige l'ensevelirait. Qu'était-il arrivé, par ma faute, à mon bien-aimé, dans son camp d'une Allemagne inimaginable, la nuit même où j'avais perdu, de manière aussi ignominieuse, son beau visage d'adolescent? A quelle ordalie ses bourreaux l'avaient-ils condamné au moment même où ma pensée l'abandonnait? Avait-il été, lui aussi, jeté comme une ordure dans un camion, déchargé sur un tas, recouvert lentement par la blanche patience de la neige?

Depuis la nuit de Colmar, je n'ai plus possédé la moindre preuve de Paul, plus une image, plus une trace d'encre. Et comme, lors de nos ultimes rencontres, chez lui, à son retour de Mauthausen, il ne m'a rien donné que des gestes, des regards, et les folles paroles de son amertume, — il ne m'en est rien resté jusqu'à aujourd'hui, si ce n'est une douleur enfoncée très profond, que je croyais destinée à disparaître. Maman s'était d'ailleurs abstenue, après quelques semaines, de me demander de ses nouvelles, comme de celles de sa mère. Peut-être Paul n'avait-il jamais existé ailleurs que dans ma pensée magique?

*

« Alors, celui-là non plus, vous ne le reconnaissez pas ? insiste le gendarme en me remettant sous le nez le passeport que j'ai négligé pour relire l'inventaire.

– Mon Dieu, mais c'est Josse ! C'est notre docteur Josse ! Celui qui a hérité de la clinique ! Vous retrouverez sûrement sa trace chez le notaire qui a enregistré l'acte. Mais nous, nous l'appelions Josse... »

« Qu'en savez-vous, jeune pucelle ? » m'avait-il lancé un jour que j'usais de termes crus pour décrire les débordements de quelque hystérique. Parce que je me rebiffais, toutes griffes dehors, comme s'il m'avait injuriée, il avait pris un plaisir gourmand à réitérer. Il prononçait drôlement : « joune poucelle », et je ruais comme une pouliche. Je n'avais pas alors de mots trop durs pour fustiger le culte rendu à la virginité en général et à la Vierge Marie en particulier, pour laquelle ma grand-mère russe montrait une dévotion exaspérante. Tant priser la virginité était contraire à l'amour, proclamais-je bien haut. C'était consacrer un abominable droit de propriété et d'usage de la femme par l'homme, comme d'un objet. C'était récuser à la femme le droit au plaisir. Je m'entends encore : les féministes des années 70 avaient en moi un précurseur ! Je glosais fort bien de tout cela et ne supportais pas d'être traitée de pucelle, même avec gentillesse, même avec l'accent polonais. Mais ma virginité à moi, je n'osais pas même y penser, encore moins en parler. Ce n'était pas un état dont j'étais fière ou honteuse ; c'était une attente sacrée. Je « me » gardais moi-même, je « me » gardais de moi-même et du désir de Paul pour demain – pour « nous », pour notre réalisation suprême dont ce devait être un ingrédient indispensable, afin qu'il y ait un « avant » et un « après ». Aussi n'ai-je mesuré le prix que j'accordais à ma virginité que lorsqu'elle fut perdue. Je ressentais non seulement la honte d'être « usagée », mais surtout le remords de n'avoir pas su attendre pour « nous », pour l'amour de « nous ». J'étais devenue femme pour rien ni personne, sans retour possible à cet état de pucelle que le docteur Josse avait bel et bien décelé.

Voici donc le visage lisse, d'une incroyable juvénilité, du tout nouveau docteur en médecine Jossilievicz Andrzej à son arrivée à Paris, dans les années 30. Passeport polonais. Né à Ostrołeka, avec un « l » barré – bizarrerie que nous avons découverte quand le cardinal Woytiła a été élu pape et quand un certain Wałesa a animé *Solidarnosc*. Ainsi donc, Josse s'appelait Andrzej, c'est-à-dire André.

Pour moi qui ai travaillé près d'un an avec lui, il n'avait pas de prénom. Seulement le déguisement d'un faux nom sur une vie privée tout à fait abolie. Il n'était sûrement pas puceau, Andrzej Jossilievicz. Mais comment assumait-il sa chasteté forcée? Je ne me l'étais même jamais demandé, comme si, à mes yeux, sa condition de Juif polonais cloîtré devait lui tenir lieu de tout. A moins qu'alors un médecin de trente-quatre ans parût trop vieux à mes yeux de vingt ans pour éprouver la tyrannie du désir? A quel point, quand on est très jeune, on passe sans curiosité à côté des gens, tout gonflé qu'on est de certitudes instables sur soi-même! La vieille que me voici devenue considère avec attendrissement la photographie en noir et blanc de ce gamin de Josse dont je rétablis le teint rose et les cheveux queue de vache. Je m'interroge sur son mystérieux air juif indélébile, que je ne saurais rapporter précisément à quelque trait que ce soit et qui n'a rien, absolument rien de ces caricatures nazies, prétendument scientifiques, qu'on voyait alors à Paris dans des expositions.

Je lis dans l'inventaire que Josse n'avait caché ni bijoux ni valeurs. Seulement des livres de prières et un petit « chandelier à neuf bougies », une *hanoukya* de cuivre ; des photographies de famille (quatorze) ; et de « nombreux papiers en polonais », ainsi qu'un « diplôme de docteur en médecine rédigé en latin », délivré par l'université de Varsovie. Puis toute une série de papiers français tapés à la machine : traduction de thèse, articles médicaux signés soit Dr André Jossilievicz, soit « Dr André Jossi, interne des hôpitaux psychiatriques ». Quel titre bizarre quand on y songe...

« Je vois qu'il avait déjà pris l'habitude de raccourcir son nom avant la guerre. Il y a fort à parier qu'il a définitivement conservé le nom de Josse après...

– Voulez-vous qu'on cherche sur le Minitel ? »

Le gendarme qui m'a ouvert les écrins tape ce qu'on lui dit : J.O.S.S.E. Les homonymes succèdent aux homonymes, vaines apparitions de vivants inconnus. Le gendarme tourne vers moi un visage opaque. On dirait qu'il me prie de laisser les morts enterrer les morts au lieu de les chercher aux abonnés du téléphone.

« Ne cherchez que les Josse André ! »

Je ne savais pas la France peuplée d'autant de Josse. De ma vie je n'en avais connu d'autre que le Jossilievicz, *alias* Jossi, *alias* Josse, qui m'avait sauvée du botulisme en me faisant vomir de force.

« Stop ! Revenez au précédent ! Lannemezan, Hautes-Pyrénées ! Ça ne peut être que lui ! Josse André, doc. med. à Lannemezan ! »

Devant leurs airs ahuris, je précise : « A Lannemezan, il y a un grand hôpital psychiatrique.

240

Je note le numéro de téléphone et me promets d'appeler dès demain, de peur qu'il ne meure avant que je ne me fasse reconnaître de lui. Ainsi sa patrie définitive aura été la compagnie des fous... Voilà donc notre vieux Josse bigourdan de Bigorre avec l'accent polonais! Je suis sûre que c'est lui. Il doit avoir une belle maison remplie de livres et une nouvelle *hanoukya* qu'une probable Mme Josse allume rituellement. Les jours de congé, il a dû, des années durant, aller crapahuter dans les montagnes, sur les sentiers qui menaient, à leurs risques et périls, ses coreligionnaires vers l'Espagne, durant la dernière guerre, vers l'Espagne de Franco, dictateur fasciste et catholique militant, mais issu d'une famille juive... Josse a dû se prendre de passion pour la montagne, pour se désaliéner de ses fous. Il me prend l'envie de l'aller voir, toutes affaires cessantes, pour lui demander le sens de sa vie, à défaut du sens de la mienne.

Peut-être l'essentiel pour lui fut-il de conjuguer sa foi dans le Dieu d'Abraham, d'Isaac et de Jacob, avec les très lentes mais véritables découvertes que permettaient peu à peu les progrès de la neurobiologie et le déchiffrement génétique pour mieux comprendre sinon les malades, du moins leurs maladies. Peut-être était-ce la curiosité scientifique qui lui avait conservé toute son alacrité intellectuelle, car je ne puis l'imaginer végétatif, ni diminué par l'âge. Sans espérer voir jamais le dénouement de tant de tragédies qui se jouent à l'intérieur des boîtes crâniennes, peut-être survit-il, animé par le désir de traquer le maximum d'indices grâce à l'amélioration de l'imagerie médicale, par l'espoir de voir confirmer telle ou telle hypothèse sur la puissance et la susceptibilité des neurotransmetteurs? Désire-t-il, avant de mourir, savoir à quoi s'en tenir sur la psychogenèse, prétendue ou avérée, de la schizophrénie? Voilà bien des raisons de durer, l'esprit en mouvement.

*

Pourrait-il, le vieux Josse, m'expliquer mon propre épisode d'aliénation mentale, durant ces quatre semaines de février-mars 1945 que je n'ai jamais racontées à personne pour la bonne raison que je ne me suis jamais autorisée moi-même à seulement y repenser? Il ne s'agit point de refoulement, car les souvenirs affluent si je les sollicite, mais d'une incapacité à comprendre ce qui s'est passé. Depuis le matin où, déflorée sans savoir par qui ni comment, j'ai regagné mon unité à Rouffach, jusqu'au jour où je me suis réveillée d'une anesthésie générale dans un vrai hôpital en dur, à Strasbourg, auprès d'un chirurgien chauve inconnu qui m'engueulait d'importance : « Vous connaissez la loi... Je suis tenu au secret professionnel et je ne dirai donc rien des pratiques criminelles auxquelles vous vous êtes livrée. Et vous pourrez devenir médecin, quoique vous ne le méritiez pas. Mais devenir mère, ça, ma petite, c'est fini! Vous n'aurez jamais d'enfant... vous l'avez bien cherché, non? » – pendant quatre semaines, j'ai, au sens strict du terme, perdu la raison. Si la schizophrénie se caractérise par l'ambivalence pathologique des pensées et des comportements, j'ai été schizophrène. Tout au long de ces jours et de ces nuits, je soignais les autres, me lavais les mains, faisais stériliser mes instruments, assistais le major qui recousait les chairs et rafistolait les os, ouvrais des anthrax et pansais des furoncles dont nous constations une épidémie, enrayais les infections à coups de sulfamides, usais même de la toute nouvelle et très précieuse pénicilline, obtenue à grand-peine des Américains, qu'il fallait encore conserver au froid (ce qui n'était pas bien difficile, en février 1945). On continuait du reste à m'envoyer les gelures, domaine où j'avais conquis une manière de célébrité, et les déprimés, ceux qui craquaient, parce que, paraît-il, je savais m'y prendre avec eux, les remettre en selle. Cependant, durant ces mêmes jours, ces mêmes nuits, je parvenais, en dépit des difficultés quasi insurmontables que cela présentait, à m'isoler presque toutes les heures pour tâter mes seins que je sentais congestionnés et douloureux, pour baisser mon pantalon d'uniforme et observer la compresse que je me collais entre les cuisses et qui demeurait sèche et blanche, pour mesurer au millimètre près mon tour de taille avec un mètre souple roulé dans la poche de ma blouse, et recommencer encore et encore, de manière compulsive. Combien de fois me suis-je fait en cachette et sans la moindre précaution d'hygiène des intramusculaires de benzogynestril, que je savais parfaitement inutiles ? Je cherchais partout des tuyaux en caoutchouc que je taillais en biseau pour en faire des sondes. Un jour j'ai trouvé et volé une sonde. Si la terre n'avait été aussi enneigée et durcie par une bonne imitation du permafrost, j'aurais été dans les jardins, en dépit des tirs d'artillerie, pour arracher du persil, car j'avais entendu dire en salle de garde que les « bonnes femmes » se faisaient avorter avec des racines de persil... Tandis que j'examinais mes petits gars combattants, leurs blessures du feu et leurs blessures du froid, je projetais mentalement l'image de mes propres organes génitaux si je me mettais en posture accroupie, et cherchais le geste qu'il me faudrait accomplir pour atteindre et franchir le col de l'utérus. Ce geste m'obsédait d'autant plus que rares étaient les instants et les lieux où je pouvais m'isoler. Je savais qu'il me faudrait aller vite. Au diable l'asepsie ! J'étais folle et n'avais soin que des autres, pas de moi. Automutilation, si on veut. Mais ce n'était pas moi que je voulais blesser. Je voulais retrancher la chose étrangère qui m'empêcherait d'être moi, donc d'être à Paul. Me mutiler pour retrouver mon intégrité. N'importe comment, mais vite ! Il m'apparaissait évident, dans ma démarche magique, qu'il en allait aussi de la vie de Paul, dans son camp. Si ce chancre se développait en moi, c'en était fini de Paul. Tout se tenait dans l'illogique. Au point que j'ai fini par perdre connaissance, perforée et infectée. Au point que j'ai fini par être sévèrement curetée, réséquée, mutilée, – sans avoir jamais été sûre d'être enceinte.

*

Je vais téléphoner à ce docteur Josse, à Lannemezan. S'il est bien celui qui, à la Forte-Haie, se cachait non seulement des Allemands, mais même de la grande Anna à la médaille de Czestochowa, s'il se souvient d'Odile Soulez, l'infirmière, la jeune pucelle partie se battre un matin, s'il a la bonne voix du vieillard sec et lucide que j'imagine, – alors je traverserai la France et irai le consulter sur ma folie d'avant le retour des déportés. Il comprendra pourquoi je n'ai jamais songé à être gynécologue. Il comprendra que je n'aurais jamais pu

devenir médecin à part entière, si j'avais avoué l'inavouable. Mieux valait le taire. Mais pourra-t-il encore
comprendre cette aliénation qui semble d'un autre âge,
le temps d'avant la pilule, d'avant l'IVG ? Pas plus que
nous ne comprenons les sorcières du XVII⁰ siècle, ni les
magistrats qui les condamnèrent...

« Évidemment, voilà qui est intéressant ! juge l'officier de gendarmerie. Pouvez-vous noter sur l'inventaire,
en face de Jossilievicz, " dit Josse, André ", ainsi que
l'adresse et le téléphone de ce médecin de Lannemezan ?
Continuons ! »

Saisie soudain d'un doute sérieux, je note également
dans mon propre carnet d'adresses le numéro d'appel de
cet avatar de Josse. Ce n'est pas sur un plateau pyrénéen
que j'aurais été le chercher ! En tout cas, si c'est lui, c'est
qu'il n'a pas épousé Francine Daunou-France Donoff,
l'anorexique, car elle n'y serait jamais allée finir ses
vieux jours. Je m'invente trop de belles histoires ! Je me
vois déjà arrivant dans ma petite bagnole et déboulant
chez eux, grosse inconnue pétulante qui claironne :
« Qu'est-ce que ça vous fait, d'apprendre que vous avez
gagné quarante louis et un lingot d'or, plus des babioles,
juste à temps pour vous payer un cénotaphe ? » Mais
peut-être des enfants, des petits-enfants, des arrière-
petits-enfants surgiraient-ils alors de partout.

*

Continuons donc, puisqu'on ne me donnera pas
mon bien avant que j'aie ressuscité tous les faux noms
inventés par le Docteur. Voici justement les papiers
d'identité, les diplômes et le livret de famille de Khan

245

Edwige, fille de Khan Bernard et de Hirsch Élise, épouse de Jacques Casaubon de Vabres, médecin. Pas d'enfants. Je ne sais pas du tout de quel nom de jeune fille fictif le Docteur avait doté sa femme. Comme elle était belle! Elle ressemblait à Joan Crawford, star hollywoodienne des années 30. Qu'elle repose en paix! J'irai désherber sa tombe et celle de son mari au cimetière de Boismesnil, ce soir même, avant d'aller dîner chez Reine, ou plutôt après – car la nuit tombe tard, en juin. Je trouverai bien une rose ou un iris à déposer sur la tombe de Jacques Casaubon de Vabres et d'Edwige, née Kahn, tous deux morts en cette même terrible année 1944.

La photographie figurant sur la carte d'identité marquée JUIF de Novitch Nathan ne m'évoque aucun nom. Elle me rappelle un malade remuant qui descendait aux cuisines malgré la défense qui lui en avait été faite, et qu'on avait trouvé un jour dans l'escalier de service où il n'avait rien à faire – si ce n'est pourchasser Gabrielle, la femme de chambre, ou même la petite Reine. Non. S'il avait fait cela, Reine me l'aurait dit, tout à l'heure, avec l'aveu de sa rancœur. En effet, les papiers de N. Novitch indiquent qu'il était commerçant, domicilié à Soissons. C'était lui, l'acharné! On comprend mieux sa frénésie en apprenant par l'inventaire qu'il avait confié au Docteur, outre un bon paquet de napoléons, des bijoux et les titres de propriété de trois maisons, à Soissons, dont deux « à usage commercial ». Peu importe que je ne retrouve pas son faux nom; on le découvrira aisément par l'étude de son ancien notaire, à Soissons. L'inventaire note un livret de famille avec cinq enfants. Où étaient la mère et les cinq enfants? Étaient-ils cachés pas trop loin de Boismesnil? Les fils étaient-ils circoncis? Avaient-ils tous été emmenés, la mère et les enfants? Je n'en saurai jamais rien, sauf à chercher des Novitch avec boutique sur rue à Soissons. Les gendarmes les trouveront avant moi. Peut-être fêteront-ils ce legs inattendu dont le grand-père Nathan ne cessait de parler, persuadé qu'il était d'avoir été volé? Pourtant, malgré ses terribles initiales, « N.N. », Nathan Novitch avait été sauvé par le Docteur et n'était pas parti comme *Nacht und Nebel.* Mais la femme et les enfants?

*

Le reste va vite. On passe sur Sachs Lydie, épouse Goldenberg, puisque j'ai déjà fouillé dans ses affaires et l'ai appelée, sans hésitation, Mme Guilloux.

« Notez " *alias* Guilloux " sur l'inventaire. »

On passe Stoliaroff Olga. Ou, plutôt, on la fait mourir d'impatience. Le capitaine sort un assez volumineux paquet enrobé de plastique et le pose sur la table, sans l'ouvrir.

« Continuons! »

Brouillés par le plastique opaque apparaissent des motifs orientaux, rougeâtres. Ce qu'ils ont appelé « une serviette en tapisserie », dans leur inventaire, c'est mon vieux « sous-cul »! En ce temps-là, la mode, chez les étudiants, était de transporter livres et cahiers dans une manière de très grand portefeuille pourvu des poches et pochettes en moleskine nécessaires pour ranger ses affaires, mais dont le dessus était ni plus ni moins qu'un morceau de tapis. Arrivés en amphi, on sortait ce dont on avait besoin, puis on repliait le truc, côté tapis, et on se le glissait sous les fesses. Les plus appréciés se devaient d'être bien râpés. C'était le cas du mien, exécuté sur mes ordres par ma mère dans un reste de tapis rapporté par grand-père Stoliaroff de chez les Ouzbeks. Paul me l'enviait tant que j'en avais commandé un second tout pareil à Maman, « pour une copine ». Je revois la main de Paul (« Tu as des mains de chirurgien! ») en lisser dans un sens la laine qui prenait des tons vieux rose irisé, puis l'ébouriffer à l'envers, ce qui la faisait rougir.

Papa était venu m'attendre à la sortie de la Fac. Il tenait à la main la valise préparée par Maman. Il me l'avait tendue et s'était emparé de mon vieux sous-cul en boukhara, que je serrais sous mon bras. « Suis-moi, sans me parler! » Il s'était engouffré dans le métro Odéon. Je courais derrière, avec la valise. Gare du Nord. Compiègne. Attente à la gare? Je ne me rappelle plus. Je me revois, soudain, dans le bureau du Docteur. Il avait ouvert mon sous-cul, en avait inspecté le contenu, y avait remis mon portefeuille et divers papiers, puis m'avait tendu un poudrier, un peigne, un mouchoir, un sytlo... Je me tenais en face de lui, devant le bureau en fruitier au ton caramel sur lequel trônait le téléphone à manivelle. Humiliée, enragée d'être ainsi arrêtée et fouillée par ce psychiatre, en présence de mon père, comme une couventine qui aurait fauté et qu'on s'apprêterait à boucler, ou comme une folle qu'il fallait enfermer! Je revois le Docteur fouillant dans mes affaires, sortant, remettant, finissant par me jeter les bricoles que j'étais autorisée à ramasser, puis disant :

« Je conserve le reste – en lieu sûr, n'ayez crainte! Je vous le rendrai... quand nous serons libérés! »

*

« Continuons ! »

Wajntrob Jankiel, pas de doute, c'était M. Thibert, le mort.

« Thibert, oui, avec un " h ". Il a succombé à un empoisonnement accidentel en septembre 1943, à l'époque des champignons, mais, en fait, à cause de rillettes mal conservées. Je suis à peu près sûre qu'il a été enterré à Boismesnil sous le nom de Thibert. Il n'y a qu'à chercher dans l'état civil : le Docteur était à la fois médecin, maire de la commune, et ami avec les gendarmes. Tout a dû se régler ainsi. J'étais alors moi-même très malade et ne me souviens pas des obsèques. »

M. Thibert avait de l'asthme et je lui faisais des fumigations d'eucalyptus. Vieux, tout à fait vieux. Né à Lublin en 1871. Il avait donc l'âge que j'ai aujourd'hui... Ses lunettes de presbyte allaient à merveille à mes yeux de vingt ans au cristallin paralysé par cette sale bactérie. Il avait eu droit aux prières de son compatriote et coreligionnaire, bien qu'il eût succombé à l'absorption de cochon. Cher vieux M. Thibert que je croyais bourguignon et qui, doté d'un prénom imprononçable, ne possédait qu'un modeste livret de Caisse d'Épargne...

Voilà un autre mystère qui s'éclaircit : Wellers Rudolf, c'est M. Roques, celui qu'on attachait sur son lit, et pas seulement quand les Allemands débarquaient. On aurait dit qu'il était atteint de la maladie d'Alzheimer. Il se sauvait constamment. Jusque dans le parc, je devais le tenir fermement par le bras. Il vous reconnaissait ou ne vous reconnaissait pas. Il racontait des histoires charmantes laissant entendre qu'il avait été voyageur de commerce, car elles commençaient toutes par : « J'avais à Clermont-Ferrand (ou à Lyon, ou à Angoulême...) un client dont l'affaire marchait très bien (ou cahin-caha, ou très mal...) et dont la femme (ou la fille, ou la sœur...) » Des histoires de femmes, toujours. Une fois, il s'adressa aimablement à moi dans une langue inconnue que je pris pour un charabia de délire. Je vois qu'il était né à Budapest. M. Roques habitait Clichy. Le Docteur n'avait caché que ses papiers. Le gardait-il par charité ? Sa famille payait-elle la pension ? Je ne me souviens pas de visites reçues par M. Roques — mais de son incontinence, oui. J'avais parfois aidé Mlle Puech à le harnacher ou à le débarrasser d'une poche en caoutchouc fixée à une ceinture, poche dans laquelle nous glissions un membre flasque au gland dénudé.

Zygulska Bianka, épouse Chetrit, que Mlle Puech appelait affectueusement Blanchette, voilà notre Mme Charbonnier. « Charbonnier : comme un charbonnier, oui. Je puis vous affirmer qu'elle avait des enfants, trois ou quatre, entre sept et quinze ans. Ils doivent avoir survécu, car elle laissait entendre qu'ils étaient en sécurité. »

En fait, ce n'est pas ce qu'avait déclaré Mme Charbonnier, ni surtout ce que j'avais compris. Elle avait dit : « Ils sont très bien là où ils sont », ce que j'avais interprété comme un rejet de maternité caractérisé ! Sans avoir succombé totalement à la vogue psychanalytique qui commençait ferme mais ne s'était pas encore durcie comme par la suite, je me laissais alors aller à élaborer par-devers moi des hypothèses personnelles, puisque je caressais l'idée de me spécialiser plus tard en psychiatrie, tout ébahie que j'étais par le charisme du Docteur et la finesse de Josse. Mes diagnostics, heureusement, ne tiraient guère à conséquence, vu ma position subalterne dans la maison. Dès que je m'en ouvrais à Josse, il me renvoyait dans les cordes. Non, pas toujours. Au contraire, il lui arriva même d'enregistrer avec intérêt certaines de mes suggestions. Mais il est vrai que je n'avais pas toutes les cartes en main quand j'exerçais ma sagacité sur les cas de Lydie Goldenberg ou de Mme Charbonnier. Je notais que cette dernière s'était laissée séparer de ses enfants par ces temps troublés alors même que les familles les plus déchirées avaient tendance à rechercher leurs membres épars pour se ressouder : la guerre n'encourage les poussées d'indépendance que chez les jeunes. Pas chez les mères de famille. Elle ne parlait jamais de ses enfants et défendait qu'on y fît allusion. Elle n'avait pas exposé dans sa chambre la moindre photo d'eux, pas même un dessin maladroit exécuté par un petit pour « Maman qui est malade ». Seulement des mensurations sibyllines qu'elle avait reniées à la minute même où elle s'était sentie potentiellement en danger à cause de ces gribouillis... Elle tricotait compulsivement pour ses enfants, c'est vrai ; mais c'était une manière de conjuration. Du reste, elle préférait prétendre tricoter pour les bonnes œuvres... Négation de maternité. Tendance paranoïde...

Que serais-je encore allée chercher si Josse ne m'avait rabattu mon caquet ! Il allait régulièrement faire des tours de parc avec celle qu'on appelait familièrement « la Blanche Charbonnière », ou « Blanchette Charbon ». Elle souriait : « Ce sont les hasards de l'état civil, que voulez-vous! Mes parents, qui m'ont appelée Blanche, ne se doutaient pas que je deviendrais Charbonnier!» C'était une petite brune hypertonique et tuante qui montrait pour le Docteur et Mme Edwige une dévotion agissante. Elle réclamait constamment «quelque chose à faire». «Je ne peux pas rester comme ça à ne rien faire, oh pas moi!» Nul ne pouvait ignorer qu'elle tapait à la machine soixante-cinq mots minute, qu'elle savait tenir une comptabilité, piquer des rideaux, mettre des pièces aux draps, faire la lessive avec de la cendre de bois, conserver les haricots verts, réussir les points ajourés les plus compliqués, et... soigner les malades! Je la trouvais du reste dans les chambres, tricotant au pied du lit des vieux. Elle obtenait de demeurer des heures dans le sacro-saint bureau du Docteur à taper à la machine, et allait même jusqu'à tirer le fameux verrou pour y enfermer son activisme frappeur.

*

Le gendarme baisse les bras devant la marée de «Charbonnier» qui envahit le Minitel.

«Laissez tomber! Elle et ses enfants ont dû reprendre le nom du professeur Chetrit!»

Je me plonge dans l'inventaire: il détaille pour elle un nombre impressionnant de papiers et de documents qui tous se rapportent à son mari. Chetrit Lucien. Lucien Chetrit, docteur ès sciences... Thèse de médecine, par Lucien Chétrit, docteur ès sciences. Professeur Lucien Chetrit, chef de service à Ville-Évrard... Ainsi donc, Blanche Charbonnier était l'épouse d'un célèbre aliéniste. Josse avait dû être interne dans son service. Le

Docteur et lui avaient échangé des malades. Il n'y avait pas là de hasard et Mme Charbonnier ne développait nullement de négation de maternité. Au contraire : le réseau protestant qui réunissait ma mère et la sœur du Docteur ne s'occupait-il pas en priorité de cacher des enfants ?

Je regarde sa photographie comme si je la découvrais. Ainsi, tout ce monde se connaissait « avant », et j'étais là au milieu comme un chien dans un jeu de quilles ! Elle avait un regard brillant derrière ses lunettes. Même enceinte jusqu'aux yeux, c'est elle qui avait dû taper les thèses de son mari. Si, pendant des années, il y a eu des fleurs déposées sur la tombe du Docteur et de Mme Edwige, ce devait être elle. C'est elle qui avait apostrophé Josse en polonais, le jour de la Libération. Sa carte d'identité est française, établie à Paris en 1939, sans surcharge JUIF. Elle ne s'est donc pas déclarée. Elle était à la Forte-Haie depuis longtemps déjà quand j'y suis arrivée. Son mari et elle avaient bien des raisons de se méfier : elle était née à Varsovie, Bianka Zigulska.

Tout à coup, je sursaute : Bianka Chetrit était domiciliée à Paris XVIIe, rue de Prony, comme Lydie Goldenberg, et dans le même immeuble ! L'une était la voisine du dessus de l'autre qui était sa voisine du dessous ! Et peut-être sa belle-sœur, ou bien sa cousine. Peut-être était-ce le professeur Chetrit qui avait envoyé la très déprimée Lydie Goldenberg à son confrère des bois, en compagnie de sa propre femme, avant de disparaître à son tour ? Et de réapparaître après la guerre : j'ai assez vu son nom cité çà et là.

« Mme Goldenberg et Mme Chetrit habitaient le même immeuble à Paris ! »

253

Je lance cela comme le détective, cinq minutes avant la fin du film, en se frappant du poing droit dans la paume gauche. Cette découverte atténue quelque peu l'humiliante impression de n'avoir autrefois rien compris...

« Oui, oui, j'ai remarqué cela, me répond le gentil gendarme. Et leurs bijoux venaient du même joaillier... »

XIII

Le même gendarme a très lentement tapé avec de nombreuses fautes d'orthographe la décharge que j'ai signée pour pouvoir rentrer enfin en possession, cinquante ans plus tard, du sous-cul que le Docteur m'avait confisqué... De la main à la main, on m'a également remis une carte d'identité à mon nom montrant une mignonne gamine avec une lavallière sous un col claudine, une masse de cheveux frisés dans une résille, la tête penchée, un sourire douceâtre dans de larges joues blanches, et deux clairs yeux retroussés qui se veulent câlins. « Tes yeux biseautés », disait drôlement Paul. C'est peu de dire que je me contemple avec éloignement. Est-ce donc ainsi que je me trouvais à mon goût, à l'époque ? Sur la fausse carte d'Odile Soulez que j'ai perdue, la face surexposée de la nihiliste façon Netchaïev devait avoir plus de caractère que cette mièvre étudiante qui ne coïncide guère avec le passé que j'ai tant remué depuis ce matin.

Et le bon vieux sous-cul, était-il digne de l'honneur insigne de vieillir un demi-siècle en compagnie de louis d'or et de broches en brillants ? Je l'ouvre du geste désinvolte que nous avions alors, et le retourne sur l'avant-bras gauche. Il est bourré de polycopiés jaunis, de copies un peu moisies. Dans une des poches qui bâille est glissé le portefeuille que j'avais chipé à papa, terni comme une vieille savate. Voilà bien l'absurdité qui fait le charme de l'archéologie : on saisit avec des pincettes, on épousette avec un pinceau doux quelque objet d'une banalité extrême qui ne doit sa valeur qu'au hasard qui l'a préservé de la destruction, lui et pas un autre, au siècle des siècles, amen ! Je glisse un doigt entre les lames de cuir durcies et presque collées pour ouvrir le portefeuille. C'est alors qu'apparaît l'écriture de Paul, d'une encre noire à peine délavée. Un graphisme d'une insolente beauté, si vivant, parmi ces reliques desséchées, qu'il a quelque chose d'indécent.

« Puis-je téléphoner ? »

Je n'irai pas dîner chez Reine. Je n'irai pas désherber la tombe du Docteur et de Mme Edwige. Nul besoin de rien préparer de spécial. Ni de me retenir une chambre à l'auberge de Boismesnil. Je rentre à Paris tout de suite, oui. Je profite de ce qu'il fait encore clair. Bien sûr, je reviendrai, bientôt. Ils vont retrouver les héritiers, c'est évident. Et moi, j'irai voir le docteur Josse, mais oui, je suis sûre qu'il est encore en vie, et je le convaincrai de vous demander pardon, à vous, Reine... Mais, maintenant, je dois rentrer à Paris, chez moi.

Je veux être seule pour inventorier mon trésor. J'ai seulement entr'aperçu deux lignes : « *Ma douce... Je dois partir, je ne peux attendre ton réveil. Je t'ai regardée dormir, sais-tu que...* » Je ne me rappelle pas la suite. Je roule très vite, comme si j'allais à un rendez-vous.

*

Au rendez-vous du 25 mai 1945, arrangé par les parents, je suis en revanche allée très lentement, terrorisée. La mère de Paul avait téléphoné à Maman : « Dites à Olga qu'il est là ! Oui, il est là ! Très affaibli, très amaigri, très changé... Olga peut venir demain à n'importe quelle heure. Je ne le quitte pas. »

Ni l'avant-veille, ni la veille, ni le matin du 24 mai, je n'avais vu la mère de Paul au Lutétia alors que, comme moi, elle y venait chaque jour aux nouvelles. La première fois que je m'étais fait reconnaître d'elle, elle s'était écriée : « Comme vous avez changé ! Minci, n'est-ce pas ? – J'ai été malade. J'ai dû quitter l'armée voici quelques semaines... – Vous étiez une jeune fille charmante ; vous voici devenue une femme élégante ! » Elle avait tendu, pour me caresser la joue, une main dont les bagues devenues trop grandes chaviraient sur ses doigts amaigris. Femme j'étais, oui. Réformée, mutilée, démobilisée dans un Paris grouillant d'uniformes, je mettais les tailleurs de ma mère, tant j'avais fondu. Avais-je droit à cette caresse du bout des doigts alors que, pour son fils, je ne saurais plus être qu'une femme-piège – rien après... ?

Ensemble nous assiégions cependant les pauvres préposées bénévoles du Lutétia, nous cherchions le même nom sur les listes du jour, attendions les cars et les camions. Parfois, épuisées, nous nous adossions au mur de l'hôtel et nous regardions d'un œil distrait, de l'autre côté du boulevard Raspail, la noirâtre prison du Cherche-Midi qui nous était apparue sinistre, deux ans auparavant, qui nous semblait presque rassurante à présent que nous tentions de comprendre où étaient et ce qu'avaient été Buchenwald, Ravensbrück, Mauthausen, Dachau, Dora, Natzwiller, Auschwitz... Sur deux listes datées du 16 mai, mais affichées plus tard, figurait le nom de Paul : une liste interminable : « Mauthausen », et une liste plus courte : « Ebensee, malades évacués. » « Je crois qu'Ebensee dépendait de Mauthausen, ce doit être pour cela..., avait hasardé une dame de l'accueil qui attendait elle-même son mari. Il n'y a plus qu'à attendre. »

*

Un cousin de ma mère avait atterri chez nous, en route pour Angoulême. Il arrivait d'un *Oflag* d'Autriche où, prisonnier de guerre, il avait passé cinq années au chaud dans une « vraie serre intellectuelle ». Il nous parut légèrement empâté par le manque d'exercice, mais enthousiaste des bénéfices retirés de cette longue retraite forcée : il avait étudié l'histoire de la Grèce ancienne, la philosophie du droit, l'astrophysique et je ne sais plus quoi encore qu'enseignaient quelques-uns de ses remarquables compagnons de captivité. La liberté intellectuelle pendant cinq ans... Ça allait être dur de se remettre au bureau, de se borner... La guerre ? Il venait seulement de la rencontrer. Le train qui les rapatriait longeait le Danube et des montagnes de carte postale encore embellies par le printemps quand, à un arrêt, les attendait sur le quai un monstrueux attroupement de cadavres vivants, des êtres aux yeux caves et aux mâchoires de squelettes, pieds nus, à peine vêtus de loques, et qui parlaient français... Certains étaient couchés sur des civières. On lui avait demandé, à lui et à ses compagnons, de les porter jusque dans les wagons : « Ce sont vos camarades déportés qui rentrent en France... » Ils avaient ensuite aidé ceux que l'on qualifiait de « valides » à se hisser auprès d'eux ; ils leur avaient cédé leurs places, ils avaient sorti leurs gourdes et leurs musettes pour leur donner tout ce qu'ils possédaient en fait de provisions : de la bière, du vin, du saucisson, des tranches de lard entre deux tranches de pain, et même du chocolat, conservé pour ce voyage de libération ! Les hommes-squelettes avaient bu et mangé. Puis plusieurs avaient vomi. Quelques-uns étaient tombés, raides morts.

« Nous avions voulu les rattraper sur la pente de la mort, leur rendre la vie, et nous les avons tués ! On t'a appris ça à l'armée, à toi, Olga, la doctoresse, comment il faut nourrir les affamés ?

— Je ne suis plus à l'armée, mon oncle. J'ai été réformée il y a quelques semaines, comme vous l'a dit Papa.

— Olga a failli mourir ! Une septicémie contractée à soigner des furoncles et des phlegmons... Elle n'a été sauvée que par un nouveau médicament américain...

— Mais des moribonds comme ceux dont je te parle, tu n'en as jamais vu, je parie ! Tu saurais t'y prendre, toi ? On nous a accusés de les avoir tués... Des " polycarencés ", tu connais ça ? Tu en as vu, quand tu étais à l'armée ? Des " grands dénutris "... Tu en as soigné ? »

Non, je n'en avais pas vu, puisque je n'avais pas suivi l'armée jusqu'en Allemagne, jusqu'en Autriche, pour délivrer les camps. Mais, plus tard, oui, presque quarante ans plus tard j'en ai soigné, des grands dénutris, par dizaines, par centaines, à la frontière du Cambodge.

259

Nous installions des perfusions à la chaîne et pourtant, le soir, il fallait dénombrer les morts. Cela s'enseigne, aujourd'hui, la « médecine de catastrophe » – et je l'ai enseignée.

En 1945, mon oncle Jean s'accusait et se défendait tout à la fois : « J'ai voulu sauver et j'ai perdu un être vivant, et un Français encore, le jour du retour ! Pour un officier qui n'a guère combattu et qui a tiré sa flemme pendant cinq ans dans un *Oflag*, c'est horrible, non ? On devrait me passer en conseil de guerre, me juger pour ignorance, mauvaise assistance à personne en danger...

— Qu'avez-vous fait des cadavres ?

— On les a descendus plus loin dans une gare, je crois...

— Vous aviez relevé leurs noms, le nom du camp d'où ils venaient ?

— Mais qu'est-ce que tu crois, ma pauvre petite ! On voit bien que tu ne peux...

— Je t'en prie, Jean ! Olga a des amis qui étaient dans ces camps et qui ne sont pas encore rentrés.

— Ceux-là venaient de près de Linz : Mauthausen, je crois. Celui que j'ai tué avait à peu près ton âge. Les plus vieux n'ont pas dû résister. Maintenant, je ne peux ni dormir, ni manger, ni boire sans le revoir mâcher son lard...

— Il avait des yeux bleus ?... Enfin, Maman, je peux bien demander s'il avait les yeux bleus ! »

*

Je n'étais jamais allée, chez Paul, plus loin que la porte cochère des derniers baisers. Je savais qu'il habitait au cinquième. On se plaquait contre le mur de peur que sa mère ne se penchât au balcon et ne nous vît... J'ai longuement attendu devant un ascenseur dont j'ai fini par comprendre qu'il ne fonctionnait plus depuis longtemps. J'étais encore faible. Dès le troisième étage, la tête m'a tourné et j'ai dû m'asseoir sur les marches. Comment Paul était-il grimpé là-haut? L'avait-on monté en civière? Il doit se sentir prisonnier, s'il ne peut redescendre tout seul... Sa mère m'a ouvert, l'air hagard, chuchotante:

« Attendez, mon petit... Il est tellement... Je ne sais pas si...

— Il ne veut pas me voir? ai-je presque crié.

— Il veut et ne veut pas... C'est difficile à savoir... Je ne lui ai pas encore dit...

— Alors, je m'en vais! »

Impérieuse, la voix de Paul, comme en colère:

« Qui est-ce qui s'en va? Qui est là? Qu'est-ce que vous fabriquez? »

Sa mère m'a poussée dans cette chambre tant de fois imaginée. Je n'ai distingué qu'un appareil à perfusion tiré au milieu de la pièce et une grande carte d'URSS déployée au mur au-dessus du lit où Paul était couché, la tête dressée sur son long cou, flottant dans un pyjama bleu ciel qui le faisait paraître plus cireux encore. Je n'avais pas pensé qu'il pouvait ne plus avoir de cheveux. De très petits poils sombres se dressaient, raides, sur un parchemin qui adhérait si fortement à la boîte crânienne qu'on en distinguait les soudures: frontal, temporal, pariétal... Des trous à la place des tempes. Des trous à la place des yeux. On voyait saillir la cloison nasale et l'arcade zygomatique. On aurait dit que le crâne poussait sous le mince masque de la face qui ne pouvait plus rien masquer.

« Tu aurais pu me prévenir, Maman ! Tu aurais pu te douter aussi que je n'avais pas envie qu'elle me voie !

– C'est moi, Paul, qui avais envie de te voir ! Ta maman le savait...

– Ah ! parce que vous vous connaissez ! Ah ça, c'est la meilleure ! Tout est combiné ! Moi, je veux qu'on me foute la paix !... »

Il a laissé son gros crâne se renverser sur l'oreiller, comme tiré par son poids, et ce fut le tour de sa pomme d'Adam de paraître percer sa peau. Cependant, ricanement ou sourire, j'ai entrevu ses belles dents, intactes, vivantes. Je me suis penchée pour vérifier la couleur de ses iris au fond des orbites.

« Ne m'approche pas ! Je pue ! Je t'assure que je pue encore ! »

Il s'était tassé, face contre le mur, juste au-dessous de la carte d'URSS à laquelle restaient piqués des petits drapeaux de papier rouge montés sur des épingles rouillées. Personne n'y avait touché depuis juin 1943.

« C'est vrai que je pue... Je ne peux pas me sentir... Ça sent comme là-bas... On m'a lavé et relavé, pourtant... Demande à Maman : elle avait peur de me casser en me lavant... Tu m'aurais lavé, toi, Olga ? Olga nouvelle, Olga la mince... Tu as fondu, toi aussi, mais dans des proportions convenables... Ma caillette a fondu... Pourtant, tu n'as pas goûté des camps, ça se voit ! Il y avait des femmes, là où j'étais... par milliers, par milliers... Je les ai vues qui fondaient, mais alors... autrement que toi ! Et les belles chevelures, crac ! *« Si l'on gardait depuis des temps, des temps, / Tous les cheveux des*

262

femmes qui sont mortes, / Tous les cheveux blonds, tous les cheveux bruns, et les cheveux couleur de feuilles mortes... » Il y en avait une... »

Sa mère s'était éclipsée. Longtemps il a continué à parler au mur, d'un ton de défi sarcastique qui relevait chaque bout de phrase en ricanement. Il n'était plus question de moi.

« ... La fine fleur de la Résistance française... si tu avais vu ça... tous des sous-hommes... pourtant, des durs, des hommes d'honneur... Tu me diras, les communistes, ils ont tenu... mais fallait voir les peaux de vache ! Ils se sont tenus, oui, les uns les autres !... Moi, salaud de bourgeois nationaliste, j'ai tenu tout seul... Pas mal, finalement... Je tiens à te le dire : pas mal... Un jour, dans l'organisation... dans la galerie... il y avait peut-être un mètre cinquante de neige près de la carrière... j'ai perdu mes socques... non, une de mes socques... Qu'est-ce que je voulais raconter ? Rien ! Plus un mot sur cet enfer de merde ! Donne-moi à boire, j'ai la langue qui colle au palais. »

Je me suis assise sur son lit, un verre d'eau à la main. De nouveau il m'a repoussée :

« Je pue, je te dis que je pue ! Tous les parfums d'Arabie, rien n'y pourra rien ! »

C'était vrai : il sentait le cadavre et la sanie, une odeur fade et forte à la fois. Je me suis penchée sur lui, tassé contre le mur, jusqu'à l'écraser :

« Si tu as encore de l'odorat, alors sens-moi, là dans le cou, là où ça sent bon ! Tu te rappelles tous les endroits " sent-bon " de mon corps, tous ? »

J'ai pris contre moi sa tête osseuse et piquante. Il respirait fort, pour humer, mais ne se détendait pas. J'ai fini par remettre sa tête sur l'oreiller et j'ai vu enfin le bleu gris des iris inchangés entre les paupières qui semblaient aspirées par les orbites. Il s'est remis à parler.

« ... Tu sens comme j'aime... tu es comme j'aime, mais moi je ne suis plus là... Tu ne peux pas comprendre. Personne ne peut comprendre... Tu te rends compte que je n'ai pas pu me battre ! J'avais une fille qui ne voulait pas baiser et une guerre où je n'ai pas pu me battre... Deux ans à encaisser sans pouvoir rendre les coups : c'est pire que la mort !... On s'en est pris à ma dignité d'homme et je n'ai pas pu me défendre, jamais... Tu as envie de cogner et tu encaisses... Les cocos, ils appelaient ça : tenir ! Tenir, c'est tout... Mais tu tiens à quoi ? Moi, je voulais me battre... Les copains, ils me disaient : on doit tenir pour raconter, tenir pour témoigner !... Témoigner, mon cul ! A force de tenir, tu ne tiens plus à rien... Tu ne tiens même plus debout ! »

Brusquement, il a rejeté le drap qui le couvrait, il s'est retourné et dressé hors du lit, grosse tête rasée, pyjama bleu glissant retenu par la seule masse molle du sexe. Je l'ai reçu flageolant dans mes bras, je l'ai recouché, tout dur et tout léger, comme un inconnu qui sent la mort et l'eau de Cologne par-dessus, secoué de spasmes sans larmes.

« Fiche-moi le camp ! Tout ce que je demande, c'est qu'on me foute la paix ! »

Il agitait ses mains aux poignets ceints de sparadrap comme ceux des suicidés.

Je suis revenue le lendemain, et encore le lendemain, et encore le lendemain. Il m'a demandé tout à trac : « Toutes les bafouilles que tu as dû m'écrire en deux ans, toi qui as toujours écrit des flopées de lettres, même

264

quand j'étais là, ils me les ont toutes prises, tes lettres, pour se foutre de ma gueule avec! Comme mes copains de taule se sont foutus de ma gueule avec ta lettre baudelairienne... »

Sur le ton de la dérision, il avait ri de moi, de Baudelaire, de l'amour.

« Je ne pouvais pas t'écrire, puisque je me cachais! »

J'ai raconté ma fuite à Boismesnil, la Forte-Haie où j'étais infirmière. Mais cela n'a pas paru l'intéresser.

« Tu ne t'appelais plus Olga? C'est drôle, de penser ça... Moi, je t'appelais parfois; dans la carrière, dans les galeries, à chaque coup de pioche, ça résonnait en faisant : *Olga! Olga!* Le granit criait : *Olga!*... J'aimais bien avoir une pioche dans les mains. Il m'arrivait de rêver que je leur fendais le crâne... Ça n'aurait pas fait *Olga!* du tout... Mais, quand j'ai eu une pioche, eux avaient des barres de fer bien plus longues, et ils nous attendaient aux bons endroits, en haut des marches, par exemple, cent quatre-vingt-six marches – je les ai comptées chaque fois. En bas ils n'y allaient pas, ils envoyaient leurs sbires, les pires... Eux n'étaient pas fous, les salauds, ils restaient en haut... »

Lorsque j'ai parlé de la Sologne, des poudrières que nous n'avions pas réussi à préserver pour les Alliés, il a sursauté :

« Bande de petits cons! C'était pourtant une opération bien préparée! Qu'es-ce que j'aurais aimé être là! La seule chose bien que tu m'apprends, c'est qu'ils avaient relâché la petite Denise... Ça, c'est bien. Petite Denise... Vallin, tu sais, il a été avec moi tout le temps, et puis il est mort au *Revier*, dans sa merde, de la dysenterie. Il ne voulait pas aller au *Revier*, mais on l'y a porté et je ne l'ai pas vu ressortir. Il a dû sortir par-dessous. Sous le bunker, il y avait le crématoire... »

Il a redit encore : « J'ai eu une vie ratée. Une fille qui ne voulait pas coucher, et une guerre perdue. Comment sortir de là ? »

Le dernier jour, je lui ai dit en arrivant :

« Qu'est-ce qui te ferait plaisir ?

— Rien. »

Il s'est à nouveau tourné contre le mur. Les rideaux étaient tirés. Il faisait semblant de dormir. Je me suis assise sur le lit et j'ai caressé sa nuque, vertèbre après vertèbre. Je croyais qu'il avait fini par s'assoupir quand il a dit :

« Ce qui me ferait plaisir ? Du thé de Ceylan très fort, mais il paraît qu'on n'en trouve plus. Te caresser les seins... Et t'entendre me lire *Phèdre*... Et puis non, va-t-en ! »

Je suis restée. Longtemps après, il s'est retourné, a ouvert mon chemisier à tâtons et m'a caressée. De temps en temps, sa main retombait de lassitude, puis reprenait.

« C'est tellement mieux quand je ferme les yeux... C'est comme avant... » Puis il a repris : « Ma douce, il faut partir. Rhabille-toi. Il ne faut pas compter sur moi. D'ailleurs, dès demain, mon père m'emmène me refaire en Dordogne. Tu sais, chez nous, à Regagnac. Il a enfin trouvé une voiture et de l'essence. Je ne veux personne avec moi. Pas d'histoire de cloche, de repas à l'heure, de visite du docteur. Personne. Je suis assez grand pour me soigner tout seul. La fermière me fera ce que je lui dirai. Elle est d'accord. Je boirai du lait bourru. Voilà, c'est ça qui me fera *plaisir*. »

Il tordait le mot dans sa bouche. J'ai répondu en prenant un ton enthousiaste. J'avais une bonne nouvelle, une excellente nouvelle pour son retour : mon père avait un ami au ministère de l'Éducation, qui affirmait qu'allait sortir une série de mesures en faveur des étudiants victimes de la guerre. Des sessions spéciales, la suppression de la sixième année de médecine, la dispense de la soutenance de thèse, des bonifications de points, et je ne sais quoi encore !

« Ainsi, tu auras tôt fait de me rattraper et de me dépasser !

— Olga, je ne serai jamais médecin. La médecine, c'est fini. A Mauthausen, un moment, j'ai été au *Revier*... Tu ne peux pas comprendre. Les corps me font horreur. Les malades me font horreur. La science médicale me fait horreur. Les médecins me font horreur — pas tous, c'est vrai... Mais jamais plus je ne pourrai couper de la viande ou scier des os !

— Il n'y a pas que la chirurgie...

— Encore moins entendre des gens geindre pour des babioles, m'intéresser aux petites misères des viscères des bonnes femmes, écouter des cœurs, palper des ventres ! J'ai décidé ça à Ebensee, dans la galerie : si je m'en sors, la médecine, finie ! rayée ! Pas toubib ! Je l'ai dit à mon père.

— Qu'est-ce que tu vas faire, alors ?

— Ce que je vais faire ? Partir me refaire en Dordogne...

— Et après ?

— Ce dont je rêvais à Ebensee : acheter du terrain à Regagnac, planter du maïs, des tomates bien rouges, planter des fruitiers, apprendre l'agronomie tout seul ou avec les gens du pays, élever du bétail, surtout, élever des chevaux, et puis : avoir beaucoup d'enfants ! Nager dans la rivière, aussi. Il paraît que, quand on sait nager, c'est pour la vie. Dès que je me serai remplumé, je nagerai. Mon père m'a appris à cinq ans. A mon tour, j'apprendrai à mes enfants. Je leur apprendrai aussi à faire pousser des trucs. D'abord, j'agrandirai la maison. Peut-être m'en chargerai-je moi-même, j'y ai beaucoup réfléchi. Je faisais des plans dans ma tête. Grand ! Une chambre pour chacun ! Une maison pour maisonnée ! Il y a intérêt à ce que je parte vite me refaire une santé ! Réjouis-toi, Olga : si je ne crève pas, je vais vouer ma vie à la vie... »

*

Je n'ai mis qu'une heure pour couvrir Compiègne-Paris ; il faisait encore plein jour, l'autoroute n'était guère chargée. J'ai mangé sur le pouce. Le soleil couchant entrait, tout rose, par la fenêtre de mon bureau, éclairant la photographie du domaine des Stoliaroff en Biélorussie : grande bâtisse blanche sur un tertre, des bois derrière, de beaux tilleuls à droite, une rivière ou un étang en bas à gauche.

Je me suis installée sur ma chaise longue qui épouse si bien mon poids et ma lassitude. Je ne me rendais pas compte de la fatigue accumulée au cours de cette journée sans jamais pouvoir étendre mes jambes.

J'allume la lampe, près de moi, et sors ma grosse loupe du tiroir : les photos du temps de la guerre étaient si petites ! Celle trouvée dans le portefeuille était bien ma préférée d'alors : Paul faisant les foins à la ferme de

Dordogne où il allait l'été, torse nu, bien musclé, sa chevelure épaisse parsemée de brindilles, un sourire à fossette dans la joue, une vraie joue pleine qu'on devine élastique et brunie. Les deux « lettres non signées » sont bien des petits mots passés en cours. Mes préférés, aussi ; c'est pourquoi je les avais pris avec moi, un jour d'examen, pour me porter bonheur. Je ne me le rappelais pas, mais ils sont bel et bien là, cinquante ans plus tard. Le premier est bref : « *Ma douce, je dois partir, je ne peux attendre ton réveil. Je t'ai regardée dormir. Sais-tu que tu es jolie, quand tu dors ? C'est chose rare, ça ! C'est le fait des âmes pures ! Jeudi, 17 h 30.* » Le second n'est guère plus long : « *Je ne t'ai pas dit, mais je pars en Dordogne, samedi. J'aimerais bien que tu viennes à Regagnac. Et si je te faisais inviter... ? Auparavant, ma sœur voudra s'assurer de qui tu es : fais-tu partie de la noble famille de ceux qui portent des costumes de bain ou de l'infâme tribu de ceux qui prétendent mettre des maillots de bain ? C'est à ses yeux importantissime. Écris-moi pour me le dire. A bientôt !* »

Je n'avais jamais reçu d'invitation pour aller à Regagnac durant l'été 1942, et jamais Paul ne m'en avait reparlé. Et puis, c'est là qu'il est parti vivre ou mourir, à son retour de Mauthausen. Je ne suis jamais allée à Regagnac et je ne sais pas même où exactement cela se trouve, ni qui y demeure.

Cet ouvrage a été réalisé par la
SOCIÉTÉ NOUVELLE FIRMIN-DIDOT
Mesnil-sur-l'Estrée
pour le compte des Éditions Fayard
en décembre 1995

Imprimé en France
Dépôt légal : janvier 1996
N° d'édition : 2551 – N° d'impression : 32160
35.33.9591.5/01

Ville de Montréal

**Feuillet
de circulation**

SUL ,MR

À rendre le		
Z 2 4 JUIL '96	Z	1 7 JAN. 2004
Z 2 0 AOU '96	Z 23 JUIL '96	2 6 FEV. 2004
Z 1 8 SEP '96	Z 2 5 AOU '98	0 8 AVR. 2005
	1 7 NOV '96	
Z 02 OCT '96	3 NOV. 1999	
	0 9 FEV. 2002	
Z 2 2 OCT '96	2 0 AOUT 2002	
Z 0 6 NOV '96	1 8 SEP. 2002	
Z 1 9 NOV '96	1 6 NOV. 2002	
Z 1 9 DEC '96	1 7 DEC. 2002	
	0 4 FEV. 2003	
Z 21 JAN '97		
Z 2 5 FEV '97	1 7 AVR. 2003	
Z 1 2 AVR '97	1 4 AOUT 2003	
Z 1 5 MAI '97		
Z 1 6 DEC '97	1 4 AOUT 2003	

06.03.375-8 (05-93)